D0329373

Universale Economica Feltrinelli

DANIEL PENNAC
IL PARADISO
DEGLI ORCHI

Traduzione di Yasmina Melaouah

Feltrinelli

Titolo dell'opera originale
AU BONHEUR DES OGRES
© Éditions Gallimard, 1985

Traduzione dal francese di
YASMINA MELAOUAH

© Giangiacomo Feltrinelli Editore Milano
Prima edizione ne "I Canguri" gennaio 1991
Prima edizione nell'"Universale Economica" maggio 1992
Tredicesima edizione febbraio 1995

ISBN 88-07-81210-X

Al Grassone
A Robert Soulat

"Per attirare il piccolo Dioniso nel loro cerchio, i Titani agitano certi ninnoli. Sedotto da questi oggetti scintillanti, il bambino si fa avanti e il cerchio mostruoso si richiude su di lui. Tutti insieme, i Titani assassinano Dioniso; dopodiché lo fanno cuocere e lo divorano."

RENÉ GIRARD, *Il capro espiatorio* (Adelphi, Milano 1987)

"...I fedeli sperano che basti che il santo sia lì (...) perché venga colpito al posto loro."

RENÉ GIRARD, *Il capro espiatorio*

I cattivi hanno sicuramente capito qualcosa che i buoni ignorano.

WOODY ALLEN

1.

La voce femminile si diffonde dall'altoparlante, leggera e piena di promesse come un velo da sposa.

– Il signor Malaussène è desiderato all'Ufficio Reclami.

Una voce velata, come se le foto di Hamilton si mettessero a parlare. Eppure, colgo un leggero sorriso dietro la nebbia di Miss Hamilton. Niente affatto tenero, il sorriso. Bene, vado. Arriverò probabilmente la settimana prossima. È il 24 dicembre, sono le 16 e 15, il Grande Magazzino è strapieno. Una fitta folla di clienti gravati dai regali ostruisce i passaggi. Un ghiacciaio che cola impercettibilmente, in un cupo nervosismo. Sorrisi contratti, sudore lucente, ingiurie sorde, sguardi pieni d'odio, urla terrorizzate di bambini acciuffati da Babbi Natale idrofili.

– Non aver paura, tesoro, è Babbo Natale!

Rapidi flash.

A proposito di Babbo Natale, ne vedo uno, gigantesco e translucido, che si staglia sulla coda immobile con una terribile silhouette d'antropofago. Ha una bocca color ciliegia. La barba bianca. Un bel sorriso. Gambe di bambino gli escono dagli angoli della bocca. È l'ultimo disegno del Piccolo, ieri, a scuola. Urla della maestra: "Le sembra normale che a quell'età un bambino disegni un Babbo Natale del genere?" "E Babbo Natale, ho risposto, le sembra poi così *normale*?" Ho preso in braccio il Piccolo, bruciava di febbre. Aveva talmente caldo che gli occhiali gli si erano appannati. E questo lo rendeva ancora più strabico.

– Il signor Malaussène è desiderato all'Ufficio Reclami.

Il signor Malaussène ha sentito, per dio! È già ai piedi della scala mobile centrale. E ci sarebbe anche già salito se non fosse inchiodato dal muso nero di un cannone striato. Perché è proprio a me che mira, il fetente, senza possibilità di errore. La torretta ha girato sul proprio asse, si è immobilizzata nella mia direzione, quindi il cannone ha alzato il naso fino a fissarmi in mezzo agli occhi. Torretta e cannone appartengono a un carro armato AMX 30, telecomandato da un vecchio alto un metro e quaranta che manovra il carro a distanza, ed emette brevi squittii di stupore. È uno degli innumerevoli vecchietti di Théo. Davvero molto piccolo, assolutamente vecchio, individuabile dal camice grigio che Théo fa indossare loro per non perderli di vista.

– Per l'ultima volta, nonno, rimetta quel giocattolo al suo posto!

La commessa brontola sfinita dietro lo scaffale dei giocattoli. Ha la testolina graziosa di uno scoiattolo che abbia conservato le noccioline nelle guance. Il vecchio sputacchia un rifiuto infantile, il pollice sul tasto del fuoco. Io scatto impeccabile sull'attenti e dico: – L'AMX è superato, Colonnello, buono per il ferrovecchio o per l'America Latina.

Il vecchietto getta uno sguardo desolato al giocattolo poi, con gesto rassegnato, mi fa cenno di andare. Il sorriso della commessa mi dedica un diploma di gerontologia. Cazeneuve, la guardia del piano, sorge dal suolo e raccatta il carro armato con aria furente.

– Insomma, devi sempre far casino, Malaussène!

– Chiudi il becco, Cazeneuve.

Che ambiente...

Sparito il carro, il vecchio resta con le braccia ciondoloni. Mi lascio portare su dalla scala mobile, con un certo sollievo, come se in altitudine sperassi di trovare più aria.

In altitudine trovo invece Théo. Inguainato in un completo rosa fenicottero, è in coda, come al solito, davanti alla macchinetta delle fototessere. Mi sorride gentile.

– Uno dei tuoi piccoli sta seminando il panico al reparto giocattoli, Théo.

– Meglio così; nel frattempo non spalanca il camice all'uscita delle scuole.

Sorriso per sorriso. Poi, con la coda dell'occhio, Théo mi indica la gabbia di vetro dei Reclami.

– Mi sa che si stanno occupando di te, lì dentro.

Infatti, mi basta meno di un secondo per capire che Lehmann è al lavoro da un pezzo. Sta spiegando alla cliente che è interamente colpa mia. Brevi spruzzi di lacrime sgorgano dagli occhi della signora. Ha sistemato in un angolo un bebè obeso, ficcato a forza in un passeggino scassato. Apro la porta. Sento Lehmann affermare nel tono della più sincera solidarietà: – Sono totalmente d'accordo con lei, signora, è assolutamente inammissibile, del resto...

Mi ha visto.

– Del resto, eccolo, adesso gli chiediamo un po' cosa ne pensa.

La sua voce ha cambiato registro. Da compassionevole si è fatta velenosa. Il problema è semplice e Lehmann me lo espone con una tranquillità da ipnotizzatore. Il bebè obeso posa su di me uno sguardo allegro come non mai. Ecco, tre giorni fa il mio reparto avrebbe venduto alla signora qui presente un frigorifero di una capienza tale che lei vi ha infornato un cenone per venticinque persone, antipasti e dolci compresi. "Infornato" è la parola giusta perché questa notte, per una ragione di cui Lehmann gradirebbe gli fornissi la spiegazione, il frigorifero in questione si è trasformato in un inceneritore. È un miracolo se questa mattina la signora non è stata bruciata viva aprendo la porta. Lancio una rapida occhiata alla cliente. Le sopracciglia, in effetti, sono bruciacchiate. Il dolore che trapela sotto la rabbia mi aiuta ad assumere un'aria pietosa. Il bebè mi guarda come se fossi la fonte di tutto. I miei occhi si portano con angoscia su Lehmann, che a braccia conserte si è appoggiato allo spigolo della scrivania e dice: – Sto aspettando.

Silenzio.

– Il Controllo Tecnico è lei, no?

Ne convengo con un cenno del capo e balbetto che, appunto, non capisco, i test di controllo erano stati effettuati... Come per la stufa a gas della settimana scorsa o l'aspirapolvere dello studio Boëry!

Nello sguardo del moccioso, leggo con chiarezza che

lo sterminatore dei piccoli di foca sono proprio io. Lehmann si rivolge di nuovo alla cliente. Parla come se io non ci fossi. Ringrazia la signora per non aver esitato a presentare un deciso reclamo. (Fuori, Théo aspetta ancora davanti alla macchina delle fototessere. Bisognerà che mi ricordi di chiedergli una copia della foto per l'album del Piccolo.) Lehmann ritiene sia dovere della clientela collaborare al risanamento del Commercio. Ovviamente la garanzia resta valida e il Grande Magazzino le consegnerà seduta stante un frigorifero nuovo.

– Quanto ai danni materiali annessi che lei stessa e i suoi hanno dovuto subire – (parla così, l'ex-sottufficiale Lehmann, con, in fondo alla voce, il ricordo della buona vecchia Alsazia dove lo depose una cicogna alimentata a Riesling), – il signor Malaussène avrà piacere a rimborsarli. A sue spese, naturalmente.

E aggiunge: – Buon Natale, Malaussène!

Ora che Lehmann ripercorre la mia carriera in azienda, ora che Lehmann le comunica che, grazie a lei, questa carriera avrà fine, negli occhi stanchi della cliente non leggo più la rabbia, ma l'imbarazzo, poi la compassione, con lacrime che tornano all'assalto, e che tremano ben presto sull'orlo delle ciglia.

Ci siamo, è giunto il momento di innescare la mia ghiandola lacrimale. Lo faccio distogliendo gli occhi. Dalla vetrata tuffo lo sguardo nel vortice del Grande Magazzino. Un cuore spietato spinge globuli supplementari nelle arterie ostruite. L'umanità intera sembra strisciare sotto un gigantesco pacco regalo. Graziosi palloncini translucidi salgono senza sosta dal reparto giocattoli per agglutinarsi lassù, contro la vetrata smerigliata. La luce del giorno filtra attraverso grappoli multicolori. È bello. La cliente tenta invano di interrompere Lehmann che, spietato, delinea il mio futuro curriculum. Niente affatto brillante. Due o tre lavori da fame, nuove esclusioni, la disoccupazione definitiva, un ospizio, e la prospettiva della fossa comune. Quando gli occhi della cliente si posano nuovamente su di me, io sono in lacrime. Lehmann non alza il tono. Batte metodicamente sullo stesso tasto.

Quel che vedo negli occhi della cliente, ora, non mi sorprende. *Vedo lei*. È bastato che mi mettessi a piangere perché lei prendesse il mio posto. Compassione. Riesce finalmente a interrompere Lehmann nel mezzo di un respiro. Indietro tutta. Ritira il reclamo. Basta che si faccia valere la garanzia del frigorifero, non chiede altro. Inutile farmi rimborsare il cenone per venticinque persone. (A un certo momento, Lehmann deve aver parlato del mio stipendio.) Le dispiacerebbe farmi perdere il posto alla vigilia di una festa. (Lehmann ha pronunciato la parola "Natale" una ventina di volte.) Capita a tutti di sbagliare, lei stessa, non molto tempo fa, sul lavoro...

Cinque minuti dopo, la cliente lascia l'Ufficio Reclami provvista di un buono per un frigorifero nuovo. Il bebè e il passeggino restano per un attimo incastrati nella porta. Lei spinge, con un singhiozzo nervoso.

Lehmann e io restiamo soli. Per un po' lo guardo sbellicarsi dalle risate poi (spompato o che?) mormoro: – Bella squadra di porci, eh?

Spalanca per rispondermi le fauci da cane ringhioso. Ma qualcosa gliele chiude.

Qualcosa che sale dalle viscere del Grande Magazzino.

È un'esplosione sorda. Seguita da urla.

2

Schiacciamo entrambi il naso contro la vetrata. Dapprima, non vediamo niente. Sospinti dall'esplosione, due o tremila palloncini ci nascondono il Grande Magazzino. Solo quando risalgono lentamente verso la luce ci rivelano quello che avrei preferito non vedere.

– Merda, – mormora Lehmann.

Il panico dei clienti è totale. Cercano tutti un'uscita. I più forti calpestano i più deboli. Alcuni corrono direttamente sui banconi e sollevano schizzi di calzini e mutandine. Qua e là un commesso o un sorvegliante del piano tentano di arginare il panico. Un tizio alto in giacca viola, viene scagliato attraverso una vetrina di cosmetici. Apro la porta a vetri dell'Ufficio Reclami. È come se avessi aperto una finestra nel bel mezzo di un tifone. Il Grande Magazzino è un urlo solo. Accanto a me un altoparlante cerca di riportare la calma. Se non si rischiasse di morire per qualcos'altro, la voce di Miss Hamilton farebbe morire dal ridere; un vaporizzatore in pieno uragano. Di sotto, c'è la guerra. In alto i palloncini hanno ritrovato la trasparenza. L'intera scena di terrore è immersa in una luce rosata di rara dolcezza. Lehmann mi ha raggiunto e mi strilla nell'orecchio: – Da dove viene? Dov'è stata l'esplosione?

C'è come un lezzo di eccitazione indocinese, nella voce di vecchio soldato. Non so dove sia stata l'esplosione. Un ammasso di corpi irti di braccia e gambe ostruisce la scala mobile. I clienti risalgono quattro alla volta i gradini della scala in discesa, per rifluire poi sotto la spinta di un'onda venuta dall'alto. Giusto il tempo di spintonarsi un po', poi arrivano tutti ai piedi della scala mobile e perdono l'equilibrio sull'ingorgo umano. Brulicano e urlano.

– Merda! – urla Lehmann, merda, merda, merda...

Si precipita verso la scala mobile facendosi largo a gomitate, si butta sulla leva del comando e blocca il dispositivo. Davanti alla macchina delle fototessere, Théo contempla alla luce i quattro esemplari della sua capoccia. Sembra soddisfatto. Mi porge una delle foto: – Tieni, – dice, – per l'album del Piccolo.

E poi, la calma. La calma, perché, nonostante tutto, non succede nulla. Qualcosa è esploso da qualche parte, e non c'è stato un seguito. Allora, ecco la calma. E presto si può udire la soave Hamilton raccomandare alla nostra gentile clientela di lasciare tranquillamente il Grande Magazzino e pregare i dipendenti di riprendere posto ai banconi. E accade esattamente quello. La folla rifluisce lentamente verso le uscite. Si lascia dietro una discarica di borsette, scarpe, pacchetti multicolori e bambini addormentati. Mi aspetto di vedere un centinaio di cadaveri. E invece no. Qua e là dei dipendenti sono chini sui clienti mezzi stecchiti che alla fine si rialzano e raggiungono le uscite zoppicando.

Una porticina laterale è stata riservata alla polizia. Da lì, pertanto, i poliziotti fanno il loro ingresso. Per dirigersi dritti dritti al reparto giocattoli. Il reparto giocattoli! Penso immediatamente alla piccola commessa scoiattolo e al vecchio di Théo. Balzo giù per la scala mobile bloccata, con un presentimento che, come tutti i presentimenti, si rivela poi un falso presentimento. Il cadavere è quello di un uomo sulla sessantina che doveva essere piuttosto panciuto a giudicare da quanto la sua pancia gli ha sparpagliato intorno. La bomba l'ha quasi tagliato in due. Mentre vomito con la maggior discrezione possibile, penso a Louna, vai a sapere perché. A Louna, a Laurent, e al bambino. Sono già tre volte che mi chiama: "Un consiglio, Ben, un tuo parere." Cosa ti posso mai consigliare, tesoro mio, mi hai visto bene?

Pensieri atroci mentre le coperte cadono sul cliente sparpagliato.

– Non è un granché, eh?

Il piccolo poliziotto mi regala un sorriso gentile. Nelle condizioni in cui mi trovo, è meglio di niente. Un po' per gratitudine rispondo, senza alcun impegno da parte mia: – No, non un granché.

Scuote il capo e dice: – Be', i suicidi nel métro sono ancora peggio!

(Questo sì che è confortante...)

– Carne dappertutto, le dita incastrate negli assali. Ne parlo perché, siccome sono il più piccolo della brigata, me li devo sbrigare sempre io.

Non è un poliziotto. È un pompiere. Un pompiere blu scuro con profilo rosso. Davvero piccolissimo. Un casco più grande di lui gli rifulge al cinturone.

– Ma la cosa veramente intollerabile, vede, sono i grandi ustionati degli incidenti stradali. Quello è un odore che non ti molla più. Ti rimane nei capelli per quindici giorni!

Non ci sono più palloncini nel cielo del reparto giocattoli. Sono stati tutti soffiati via dall'esplosione, sono lassù, contro la vetrata. Qualcuno porta via la mia piccola scoiattolo che singhiozza. Il pompiere mi indica il corpo coperto: – Ha notato? Aveva la patta aperta!

(No. Non ho proprio notato.)

Per fortuna il simpatico pompiere e io veniamo separati dagli altoparlanti. (Salvato dal gong, per così dire.) I dipendenti sono a loro volta invitati a lasciare il Grande Magazzino. Ma non Parigi. Le esigenze dell'inchiesta. Buon Natale.

In fondo al reparto giocattoli afferro una pallina multicolore e la ficco in tasca. Una di quelle palline translucide che rimbalzano all'infinito. Anch'io devo fare dei regali. Nel reparto successivo la imbacucco nella carta stellata. Lascio il completo da lavoro nello spogliatoio ed esco.

Fuori, la folla ammassata aspetta di veder saltare in aria tutto il Grande Magazzino. Il freddo glaciale mi rivela che morivo di caldo. Dato che la folla è fuori, spero che mi lascerà la metropolitana.

È anche nella metropolitana.

3.

Ho una concessione triennale rinnovabile al cimitero del Père Lachaise, 78 Rue de la Folie-Regnault. Mentre arrivo, il telefono squilla, insistente. Mi precipito sempre quando suona.

– Ben, non ti sei fatto niente?

È Louna, mia sorella.

– Come, niente?

– La bomba, al Grande Magazzino...

– Sono saltati in aria tutti, l'unico sopravvissuto sono io!

Ridacchia. Tace. Poi dice: – A proposito di saltare, ho preso una decisione.

– Di che genere?

– Del genere piccola bomba. Il piccolo inquilino, voglio farlo saltare. Aborto, Ben. È Laurent che voglio tenermi.

Silenzio di nuovo. Sento che piange. Ma in lontananza. Fa il possibile per nascondermelo.

– Ascolta, Louna...

Ascolta cosa? Storia classica. Lei, la graziosa infermiera e lui il bel dottore, il colpo di fulmine, la decisione di guardarsi nel bianco degli occhi fino alla morte, lei, lui e nient'altro. Ma gli anni passano: la voglia del terzo diventa pressante. La frenesia femminile della duplicazione: la vita.

– Ascolta, Louna...

Lei ascolta, ma non dico niente, allora lei finisce col dire: – Ascolto.

Allora mi metto a parlare. Le dico che il piccolo in-

17

quilino bisogna tenerlo. Ha eliminato i precedenti perché non amava i papà, adesso non vorrà mica far fuori questo perché ama troppo il papà? Eh? Louna? Dàvvero, smettila di dire fesserie. ("Smettila tu di dire fesserie," mormora una vocina familiare dentro di me, "sembra di sentire uno del Movimento per la vita.") Ma continuo, ormai sono lanciato: – In ogni caso non sarebbe mai più come prima, ce l'avresti a morte con il Laurent, ti conosco! Oh! Certo non ti vedo a sventolare il paio di ovaie sotto il naso dell'abortista, ma piuttosto nella parte della povera tisica, non so se rendo l'idea.

Lei piange, ride, piange di nuovo. Per una mezz'ora!

Appena ho messo giù, totalmente esausto, squilla di nuovo.

– Pronto, bambino mio, come va?

È la mamma.

– Bene, mamma, bene.

– Una bomba al Grande Magazzino, ti rendi conto, da noi non si sarebbe mai vista una cosa del genere!

Allude alla graziosa chincaglieria del pianterreno dove ho passato l'infanzia a non imparare il bricolage, e che è stata poi trasformata in appartamento per i bambini. Dimentica la saracinesca di ferro di Morel, il droghiere di fronte, distrutta da un panetto di plastico, un mattino del giugno '62. Dimentica la visita dei due doppiopetto che le hanno chiesto di vagliare bene la sua clientela. È simpatica, dimentica le guerre, la mamma.

– I bambini stanno bene?

– Stanno bene, sono di sotto.

– Cosa fate per Natale?

– Stiamo tra noi cinque.

– Sai, invece Robert mi porta a Châlons.

(Châlons-sur-Marne, povera mamma.) Dico: – Viva Robert!

– Gorgheggia.

– Sei un gran bravo figliolo, bambino mio.

(Bene, adesso siamo al bravo figlio.)

– Anche gli altri figli tuoi non sono male, mammina.

– È merito tuo, Benjamin, sei sempre stato davvero un ottimo figlio. (Dopo la risatina, il pianto.)

– E io che vi abbandono...

(Ci siamo, ecco la cattiva madre.)

– Non è un abbandono, mamma, è riposo, ti riposi!

– Che madre sono, Ben, me lo puoi dire? Che razza di madre?...

Dato che ho già cronometrato il tempo che le ci vuole per rispondere alle sue stesse domande, appoggio delicatamente la cornetta sul piumino e passo in cucina dove mi preparo il caffè turco con tanta schiuma. Quando torno nella mia stanza, il telefono cerca ancora l'identità di mia madre...

– ...era la mia prima fuga, Ben, avevo tre anni...

Bevuto il caffè, capovolgo la tazza nel piattino. Thérèse potrebbe leggere l'avvenire di tutto il quartiere nello spessore del fondo che si spande.

– ...quest'altra succedeva tempo dopo, andavo per gli otto o nove anni, credo... Ben, mi ascolti?

E proprio in quel momento, l'interfono attacca a gracchiare.

– Ti ascolto, mamma, ma ti devo lasciare, i marmocchi mi stanno citofonando! Su, riposati per bene e, non dimenticare, viva Robert!

Riattacco e stacco. La voce stridula di Thérèse mi perfora i timpani.

– Ben, Jérémy mi fa incazzare, non vuole fare i compiti!

– Modera il tuo linguaggio Thérèse, non parlare come tuo fratello.

E adesso è proprio la voce del fratello che esplode.

– È questa scema che rompe, non sa spiegare un tubo!

– Modera il linguaggio Jérémy, non parlare come tua sorella. E passami Clara, per favore.

– Benjamin?

La calda voce di Clara. Un velluto verdissimo e liscissimo sul quale ogni parola rotola con la silenziosa evidenza di una palla bianchissima.

– Clara? Come sta il Piccolo?

– La febbre gli è andata giù. Però ho fatto tornare Laurent lo stesso, dice che bisogna tenerlo al caldo per due giorni.

– Ha disegnato altri Orchi Natale?

– Una dozzina, ma sono molto meno rossi. Li ho fotografati. Ben, ho preparato uno sformato di patate gratinate, per questa sera. Sarà pronto tra un'ora.

– Ci sarò. Passami il Piccolo.

Ecco la vocina del Piccolo.

– Sì, Ben?

– Niente. Volevo solo dirti che ho una foto di Théo per il tuo album, e che stasera vi racconto un'altra storia.

– Una storia di orchi?

– Una storia di bombe.

– Ah? Fortissimo...

– Adesso, devo dormire un'oretta. Il primo che si avvicina all'interfono, uccidilo.

– D'accordo, Ben.

Riattacco, mi lascio cadere sul letto, e mi addormento prima di raggiungerlo.

Un cane enorme mi sveglia, un'ora dopo. Mi ha assalito dal fianco. Sono rotolato giù dal letto sotto la violenza dell'urto e rimango bloccato contro il muro. La bestia ne approfitta per immobilizzarmi completamente e iniziare a farmi la toilette che io stesso non ho avuto tempo di fare questa mattina. Dal canto suo puzza come una discarica comunale. Dalla sua lingua emana un tanfo di pesce rancido, sperma di tigre, jet-set canino.

Dico: – Regalo?

Balza all'indietro, siede sull'ignobile culo e, la lingua penzoloni, mi guarda, con la testa inclinata di lato. Frugo nella tasca della giacca, tiro fuori la pallina impacchettata, gliela mostro e annuncio: – Per Julius, Buon Natale.

Di sotto, nell'ex-chincaglieria, l'odore di noce moscata dello sformato di patate aleggia ancora quando da tempo ho trascinato i bambini nel cuore profondo del racconto. Gli occhi mi ascoltano al di sopra dei pigiami mentre i piedi dondolano nel vuoto dei letti a castello. Sono arrivato al punto in cui Lehmann si fa largo verso lo scivolo impazzito. Scarta la folla con grandi fendenti del braccio meccanico che gli invento per l'occasione.

– Come se l'è giocato il braccio vero? – chiede Jérémy senza fare una piega.

– In Indocina, sulla strada di Dalat, al chilometro 317, un'imboscata. Era talmente benvoluto dai suoi uomini che si sono ritirati e l'hanno abbandonato, lui e il braccio, che già non stavano più attaccati.

– E come se l'è cavata?

– Il capitano della compagnia è tornato da solo a prenderlo, tre giorni dopo.

– Tre giorni dopo! E cosa ha mangiato in quei tre giorni? – chiede il Piccolo.

– Il braccio!

Astuta risposta, che soddisfa tutti: il Piccolo ha avuto la sua storia di orchi, Jérémy il suo racconto di guerra, Clara la sua dose di umorismo; quanto a Thérèse, rigida come una cancelliera dietro alla scrivania, come al solito stenografa integralmente il racconto, disgressioni comprese. È un ottimo esercizio per la sua scuola per segretarie. In due anni di esercizi notturni, ha già ricopiato i fratelli Karamazov, Moby Dick, *Fantasia chez les Ploucs*, Gosta Boërling, Giungla d'asfalto, più due o tre prodotti della mia privata riserva mentale.

Racconto quindi, fino a quando un generale sbattere di ciglia annuncia l'ora del coprifuoco. Quando chiudo la porta alle mie spalle, l'albero di Natale scintilla nell'oscurità. Non me la sono cavata troppo male; nemmeno per un istante hanno pensato di avventurarsi sui regali. Salvo Julius, che si ingegna da due ore a disfare il suo pacchettino senza strappare la carta.

4.

Quel che segue si annuncia con uno squillo di campanello, l'indomani venticinque dicembre alle otto del mattino. Sto per gridare "entri, è aperto", ma un brutto ricordo mi trattiene. È così che la settimana scorsa io e Julius ci siamo trovati con la bara di legno grezzo in mezzo al corridoio, attorniata da tre operai con la faccia stitica. Il più palliduccio dei tre ha detto semplicemente: – È per il cadavere.

Julius è andato a rifugiarsi sotto il letto, e io, chioma arruffata e occhi spenti, ho indicato il mio pigiama con aria spiaciuta: – Ripassate tra cinquant'anni, non sono del tutto pronto.

Dunque, suona il campanello. Strascico i piedi fino alla porta, seguito da Julius, cui è sempre piaciuto fare nuove conoscenze. Una specie di mastodonte tutto nuca, vestito con un giubbotto da aviatore dal colletto di pelliccia, mi sta di fronte come un paracadutista irlandese sganciato sulla Francia occupata dai tedeschi.

– Ispettore praticante Caregga.

Uno sfollagente promosso penna a sfera. Appena ha introdotto la propria mole nell'appartamento Julius gli avvita il muso tra le chiappe. Lo sbirro si siede precipitosamente senza mollare una sberla al cane. È forse questo particolare a farmi proporre: – Un caffè?

– Se lo fa per sé...

Filo in cucina. Chiede: – Non chiude mai la porta a chiave?

– Mai.

Penso: "le abitudini sessuali del cane me lo impediscono", ma non lo dico.

– Ho soltanto qualche domanda da porle. È la prassi.

Esattamente quello che mi aspettavo. È il risveglio festoso dei dipendenti esemplari del Grande Magazzino. Una decina di responsabili sindacali, una dozzina di mattacchioni indipendenti, visitati per primi dalla polizia. Il regalo natalizio della Direzione ai figli prediletti.

– È sposato?

L'acqua zuccherata canta nella caffettiera di rame.

– No.

Ci verso tre cucchiaini di caffé macinato turco, e mescolo lentamente finché diventa vellutato come la voce di Clara.

– E i bambini, di sotto?

Poi rimetto il tutto sul fuoco e lascio salire, stando attento a non far bollire il caffè.

– Fratellastri e sorellastre, sono i figli di mia madre.

Il tempo di annerire il taccuino con la matitina, l'ispettore Caregga si lascia scappare la domanda seguente: – E i padri?

– Sparpagliati.

Lancio un'occhiata dalla porta della cucina. Caregga scrive diligentemente che la mia povera mamma sparpaglia gli uomini. Faccio quindi la mia comparsa, con caffettiera e tazze in mano. Verso il sugo denso e blocco la mano tesa dell'ispettore.

– Aspetti, bisogna lasciare posare il fondo prima di bere.

Lui lascia posare.

Julius, seduto ai suoi piedi, lo guarda con passione.

– Qual è la sua mansione, al Grande Magazzino?

– Farmi fare delle piazzate.

Non fa una piega. Scrive.

– Occupazioni precedenti?

Accidenti, l'elenco rischia di essere lungo: magazziniere, barista, tassista, insegnante di disegno in un pio istituto, intervistatore-saponette, forse ne dimentico qualcuno, e Controllo Tecnico al Grande Magazzino, il mio ultimo lavoro.

– Da quanto tempo?

– Quattro mesi.

– Le piace?

– Come gli altri. Troppo pagato per quello che faccio, ma non abbastanza per quanto mi rompo.

(Alziamo il livello della discussione, diamine!)
Prende appunti.
– Non ha notato niente di insolito, ieri?
– Sì, è scoppiata una bomba.
Qui, finalmente alza la testa. Ma esattamente con lo stesso tono impassibile puntualizza: – Voglio dire *prima* dell'esplosione.
– Niente.
– Risulta che lei sia stato chiamato tre volte all'Ufficio Reclami.
Ci siamo. Gli racconto della cucina economica, dell'aspirapolvere e del frigo piromane.
Fruga nella tasca interna, poi stende davanti a me la pianta del Grande Magazzino.
– Dove si trova l'Ufficio Reclami?
Glielo indico.
– Quindi lei è passato almeno tre volte davanti al reparto giocattoli?
È perfino capace di deduzioni, complimenti!
– Infatti.
– Ci si è fermato?
– Sì, dieci secondi al terzo viaggio.
– Notato niente di insolito?
– A parte il fatto che sono stato preso di mira da un AMX 30, niente.
Annota in silenzio, reincappuccia la stilografica, beve d'un fiato il caffè, fondi compresi, si alza, e dice: – Per ora è tutto, non lasci Parigi, potremmo avere altre domande da porle, arrivederla e grazie per il caffè.

Ecco. Non soltanto nei film si rimane a lungo a fissare una porta richiusa. Io e Julius siamo sedotti dalla natura schietta dell'ispettore Caregga. Un grande avvenire nella brigata delle risate, il ragazzo. Ma ho già pronto il racconto che stasera scodellerò ai bambini. Sarà lo stesso di ieri, con in più battute pirotecniche all'insegna di umorismo letale, e ci lasceremo su una miscela esplosiva di odio, diffidenza e ammirazione, e gli sbirri saranno due, due spaventapasseri di mia invenzione che i ragazzi ben conoscono: uno piccolo, irsuto, una tormentata bruttezza da iena, e uno enorme, calvo – eccetto i due basettoni "che finiscono a punti esclamativi sulle potenti mandibole."

– Jib la Iena e Bas Basetta! – griderà il Piccolo.

– Jib la Iena, di nome e di faccia, – preciserà Jérémy.

– Bas Basetta, di nome e di pelo, – preciserà il Piccolo.

– Più cattivo di Ed La Bara e più pazzo di Ceco di Legno.

– Sono amici? – chiederà Clara.

– Stanno insieme da quindici anni, – risponderò. – Non si contano le volte in cui uno ha salvato la vita all'altro.

– Che macchina hanno? – chiederà Jérémy, che adora la risposta.

– Una Peugeot 504 decappottabile rosa, 6 cilindri a V, pericolosa come un luccio.

– Di che segno sono? – domanderà Thérèse.

– Toro tutti e due.

Quando raggiungo i bambini, dopo che Caregga se n'è andato, l'albero di Natale brilla di tutte le sue mille luci, come si suol dire. Jérémy e il Piccolo lanciano strilli di gabbiani in un oceano di carta da regalo. Thérèse, sopracciglia professionali, ricopia il racconto di ieri sera su una macchina con margherita nuova fiammante. Louna, in visita, guarda il quadretto di famiglia, l'occhio lucido e i piedi a papera come se fosse incinta di sei mesi. Noto l'assenza di Laurent. Clara mi veleggia incontro, in un abito di jersey che le fa un bel corpo da fiamma. Tiene in mano la vecchia Leica che da anni mi invidiava in silenzio e che ho finito per sacrificare alla sua passione per la fotografia. Il vestito è stato scelto da Théo. In questo campo, bisogna sempre affidarsi agli uomini che preferiscono gli uomini. (Forse è un pregiudizio.)

– Tieni, Benjamin, è per te.

Quel che Clara mi porge è graziosamente impacchettato. Sta in una scatola di cartone, sta nella carta velina. Un paio di pantofole ripiene di panna montata, proprio quello che desideravo, è Natale.

5

L'indomani, 26, ripresa del lavoro. Come ogni giorno, Julius mi accompagna fino alla metropolitana, fermata Père Lachaise, poi se ne va a rimorchiare a Belleville mentre io vado a guadagnargli i bocconcini. La pallina nuova gli rimane incastrata tra le mandibole bavose dall'altro ieri sera.

Il quotidiano che ho appena comprato si dilunga abbondantemente sul "mostruoso attentato al Grande Magazzino". Dato che un morto solo non basta, l'autore dell'articolo descrive lo spettacolo a cui *si sarebbe potuto* assistere se ve ne fossero stati una diecina! (Se davvero volete sognare, svegliatevi...) Il pennivendolo dedica comunque qualche riga alla biografia del defunto. È un onesto meccanico dell'hinterland di sessantadue anni, che il quartiere piange a calde lacrime, ma "per fortuna" celibe e senza figli. Non soffro di allucinazioni, ho letto davvero "per fortuna" celibe e senza figli. Mi guardo intorno: il fatto che "per fortuna" il Dio Caso faccia fuori i celibi per primi non sembra turbare le famigliole della metropolitana. Tutto ciò mi mette talmente di buon umore che scendo alla fermata République, deciso a fare il resto del tragitto a piedi. Mattino d'inverno, cupo, appiccicaticcio, gelido, ingombro, Parigi è una pozzanghera nella quale si invischia la luce gialla dei fari.

Temevo di arrivare in ritardo, ma il Grande Magazzino è più in ritardo di me. Con le saracinesche di ferro abbassate sulle immense vetrine, sembra un transatlantico in quarantena. Dalle caldaie sotterranee sale un vapore che si sfilaccia nella foschia mattutina. Qua e là, però, piccole brecce luminose mi indicano che il cuore batte. C'è vita, lì dentro. Vi penetro quindi e sono subito inondato di luce. Ogni volta è lo stesso choc. Tanto fuori è buio e sinistro, quanto l'interno sfavilla. Tanta luce che scende a cascata silenziosa dalle alture del Grande Magazzino, rimbalza sugli specchi, gli ottoni, i vetri, i finti cristalli, scorre nei corridoi, vi impolvera l'anima – tanta luce non rischiara: inventa un mondo.

Un mondo che vado fantasticando, mentre una guardia dalle dita agili mi perquisisce dalla testa ai piedi, per constatare infine che non sono una bomba atomica, e lasciarmi passare.

Non sono il primo arrivato. La maggior parte dei dipendenti sono già riuniti nei corridoi del pianoterra. Guardano tutti per aria. Una maggioranza femminile. Gli occhi brillano di un fosco bagliore, come se ascoltassero lo Spirito Santo. Lassù, sul ponte di comando, Sainclair gorgheggia in un microfono. Rende omaggio alla "ammirevole condotta del personale" durante i recenti "avvenimenti". Esprime tutta la simpatia della Direzione a Chantredon – il tizio che ha viaggiato attraverso la vetrina dei cosmetici e che sta curandosi le ferite all'ospedale. Si scusa con coloro che ieri hanno ricevuto una visita della Polizia. Tutti i dipendenti dovranno sottostarci "compresa la Direzione", al solo scopo però di "contribuire all'inchiesta con ogni elemento necessario ad una felice conclusione".

Quanto a lui, Sainclair, non lo sfiora neppure per un attimo l'idea che l'attentato abbia potuto essere opera "di uno dei miei collaboratori". Perché non siamo i suoi "dipendenti", ma i suoi "collaboratori", come ha solennemente dichiarato al Consiglio di Amministrazione. Infinite scuse ai "collaboratori" per la breve perquisizione all'entrata. Lui stesso vi si è prestato e anche i clienti la subiranno, per tutta la durata dell'inchiesta.

Guardo Sainclair. È giovanissimo. È bellissimo. Ha fatto una rapida scalata. È autoritario, ma con dolcezza. Esce da una scuola superiore di commercio in cui per prima cosa gli hanno insegnato a impostare la voce e a vestirsi. Il resto è venuto da sé. Parla quasi teneramente, e da sotto il biondo ciuffo spunta un dolce sguardo velato di tristezza. Il Grande Magazzino gli duole, a Sainclair. I collaboratori che lo circondano, capo del personale, responsabili ai piani, aguzzini di prima categoria, hanno proprio la faccia del mestiere, invece. Stanno tutti in riga lungo la balaustra dorata del primo piano. Col volto a lutto. Se si tendesse l'orecchio, si potrebbero sentire spuntare le medaglie sui loro responsabili petti. L'idea mi fa ridacchiare. Ridacchio. Il tipo che sta davanti a me si volta. È Lecyfre, il delegato CGT, in carne e sfumature.

— Piantala Malaussène, chiudi il becco.

Il mio sguardo plana sulla folla estatica, sulla nuca rasata di Lecyfre, quindi ancora sulla tribuna ufficiale. Non c'è dubbio, è dotato Sainclair. Ha capito qualcosa che io non capirò mai.

Lascio che la messa continui senza di me e mi dirigo allo spogliatoio. Apro il mio armadietto metallico, tiro fuori il completo da lavoro. Non è mio. È un prestito della ditta. Né troppo antiquato, né troppo alla moda. Appena un non so che di grigiastro, di vecchiotto, di troppo onesto. Il completo di qualcuno a cui piacerebbe comprarne uno nuovo. Lo tengo in punta di braccio come se fosse la prima volta. Una voce canzonatoria mi sottrae ai miei pensieri: — Hai un puntello, Ben? Vuoi fare cambio con uno dei miei?

È Théo, griffato Cerruti questa mattina. Cambia così spesso abito per le sedute alla macchina delle fototessere che il suo armadio ne è stracolmo, e ha invaso anche il mio. Abbiamo la chiave in comune. Ogni mattina estraggo il completo da lavoro dal suo guardaroba italo-hollywoodiano.

— Sul serio, ne vuoi uno? Serviti!

La mia mano rifiuta.

— Grazie, Théo, solo che, data l'allegria della divisa, mi chiedevo se ero davvero tagliato per questo lavoro.

Una risata lo piega in due.

— È proprio la stessa domanda che mi pongo anch'io ogni mattina davanti al mio guardaroba. Mi dico che ero fatto per essere etero, e invece sono un finocchio.

Detto questo, ci ritroviamo entrambi nel sotterraneo, il regno, l'impero del fai-da-te. Lui compare ogni mattina una mezz'ora buona prima dei commessi. Passa in rassegna i corridoi deserti come Bonaparte le file serrate della fanteria prima dell'ecatombe. Il minimo dado mancante all'appello gli salta all'occhio, la più piccola traccia di disordine negli espositori lo ferisce crudelmente.

– Il fatto è che i miei vecchietti fanno una confusione terribile.

Sospira. Rimette a posto. Potrebbe allestire l'intero piano a occhi chiusi. È il suo territorio. Quando siamo io e lui soli, vi regna un silenzio da prima della creazione del mondo.

– A Clara è piaciuto il vestito?

– Una meraviglia indossato da una meraviglia, Théo.

Bisbigliamo. Trova un campanello elettrico nel mastello delle rotelle per poltrone.

– Vedi, la prima cosa che si inceppa nei miei vecchietti è la memoria. Prendono una cosa qualsiasi e la posano chissà dove per sgraffignare qualcos'altro. Avidi e entusiasti come neonati...

Il regno dei vecchietti di Théo risale al periodo in cui lui era un semplice commesso, al reparto ferramenta. Era così gentile con i ruderi del quartiere che quelli venivano tranquillamente a fare dei lavoretti sui suoi banchi da lavoro, per giornate intere, sempre più numerosi.

– Vengo dalla strada, so cosa vuol dire e non voglio lasciarceli, potrebbero finire male.

Così risponde a chi protesta contro l'invasione dei centenari.

– Qui hanno l'impressione di ricostruirsi un mondo e non tolgono il pane a nessuno.

Più Théo è salito di grado, più il numero dei vecchietti è aumentato. Arrivavano dagli ospizi più lontani. E da quando Sainclair l'ha consacrato Imperatore del Fai-date (non solo è in grado di ricostruire Parigi con qualsiasi cosa, riesce perfino a vendere una falciatrice a chi vuole sistemare il proprio bagno), l'intero sotterraneo appartiene ai vecchietti di Théo.

– Un assaggio del loro Paradiso.

– Dove li hai scovati, i camici grigi?

– Una liquidazione di un orfanotrofio, vicino a casa mia. Con quelli addosso, almeno so sempre dove sono.

All'ora di pranzo, nel ristorantino dove sfuggiamo alla mensa, a Théo prende la ridarella.

– Sai una cosa?

– Cosa?

– Lehmann fa girare la voce che sono gerontofilo. Come dire il pedofilo della terza età, capisci?

(Caro Lehmann...)

– Ah, a proposito di pedofilia, dai questa al Piccolo, per il suo album.

È una nuova foto. Completo vinaccia in velluto di seta, mimosa all'occhiello. Dietro: la didascalia, che il Piccolo ricopierà in bella calligrafia.

"*Questa è quando Théo fa il bateau mouche.*" Chi vuol capire capisca. Théo, dal canto suo, capisce, così come gli innumerevoli amici di Théo, che trovano simili messaggi fotografici appuntati sulla porta quando lui non è in casa. E il Piccolo? Dovrei proibirgli di farne collezione? So bene che l'infanzia non è il reparto di Théo, però...

6.

Nel primo pomeriggio, ci sono già stati due o tre reclami tra cui una bella scocciatura dalla zona letti, bran-
de e affini. Lehmann mi fa chiamare. Passo davanti al reparto giocattoli. Nessuna traccia dell'esplosione. Il bancone non è stato aggiustato, ma sostituito, durante la
notte, con uno esattamente identico, lo stesso. Strana
impressione, che non ci sia stata alcuna esplosione, che
sia stato vittima di un'allucinazione collettiva. Che si
cerchi di asportarmi un pezzo di memoria. Rimugino
questi pensieri sconsolanti mentre la scala mobile sep-
pellisce il reparto giocattoli nelle profondità brulicanti
del Grande Magazzino.

Il tipo che ringhia da Lehmann ha spalle così larghe
da ostruire la porta a vetri. Una schiena da eclissare il
sole. Per cui, non vedo la testa di Lehmann. A giudicare
dal fremito dei muscoli, sotto il blazer del cliente, e dalla
vena che palpita sotto la pelle arrossata del collo, Lehmann se la fa sotto. Quello che gli si para davanti non
appartiene al genere gigante buono. È un sanguigno che
non alza la voce. I peggiori. Non ha fatto un passo dentro
l'ufficio. Ha chiuso la porta dietro di sé, e mormora le
sue lagnanze, il dito puntato su Lehmann. Batto tre piccoli colpi discreti. Appena toc, toc, toc.
   — Avanti!
Oh! angoscia nella voce di Lehmann. Il mastodonte
apre in persona la porta, senza voltarsi. Mi infilo tra il
suo braccio e lo stipite con l'agilità impaurita del cane
bastonato.

– Tre giorni di ospedale e quindici di assenza dal lavoro, ci lascerà le braghe il suo Controllo Tecnico.

È la voce del cliente. Neutra, come mi aspettavo, e colma di pericolosa sicurezza. Non è venuto a lamentarsi, né a discutere, né tantomeno a pretendere – è venuto a imporre il suo diritto con la forza, tutto qui. Basta dargli un'occhiata per capire che non conosce altre istruzioni per il proprio uso. Ma basta dargli una seconda occhiata per accorgersi che queste non l'hanno portato molto in alto nella scala sociale. Deve avere da qualche parte un cuore che lo intralcia. Lehmann queste cose non le sente. Abituato a mollare colpi, teme una sola cosa: prenderne. E su questo piano, l'altro è credibile.

Metto abbastanza terrore nel mio sguardo perché Lehmann trovi finalmente il coraggio d'informarsi. A farla breve, il signor Tal dei Tali qui presente, di professione sommozzatore (perché questo particolare? per giustificare i muscoli?) ha ordinato, la settimana scorsa, un letto da una piazza e mezzo al reparto mobili in legno massiccio.

– Il legno massiccio è il suo settore, vero Malaussène?

Accenno un timido sì.

– Al suo reparto, signor Malaussène, ha quindi richiesto un letto da una piazza e mezzo in noce lavorato, rif. T.P. 855, i piedi della cui testata si sono spezzati al primo uso.

Pausa. Occhiata al sommozzatore la cui mascella inferiore tormenta un atomo di chewing-gum. Occhiata a Lehmann cui non dispiace passarmi il testimone.

– La garanzia, – dico io...

– La garanzia sarà valida, ma non la esime dalle sue responsabilità, signore, altrimenti non l'avrei fatta venire.

Primissimo piano sulle mie scarpe.

– C'era qualcun altro, nel letto.

Anche all'estremo della paura, Lehmann non rinuncerà mai a questo genere di piacere.

– Una persona, giovane, non so se mi spiego...

Il resto evapora sotto lo sguardo fiamma ossidrica del mastodonte. Conclude lui la frase, laconico: – Una clavicola e due costole. La mia fidanzata. All'ospedale.

– OOOH!

Ho cacciato un urlo vero. Un urlo di dolore, che li ha fatti sussultare entrambi.

– OOOH!

Come se mi avessero colpito allo stomaco. Mi comprimo poi la cassa toracica con la punta del gomito, proprio sotto il seno, e divento bianco come le lenzuola del talamo fatale. Questa volta, Ercole avanza di un passo, abbozza anche il gesto di trattenermi nel caso dovessi sentirmi mancare.

– Io ho fatto una cosa simile?

Voce spenta; principio di asfissia. Vado barcollante ad appoggiarmi alla scrivania di Lehmann. Mi è bastato immaginare quella montagna di carne che dall'alto del suo trampolino cade sul corpo di Louna o di Clara, facendone saltare tutte le ossicine, e mi sono sgorgate lacrime autentiche e opportune. Con il viso inondato chiedo: – Come si chiamava la sua fidanzata?

Il resto procede liscio come l'olio. Sinceramente commosso dalla mia commozione, Mister Muscolo si sgonfia tutto in una volta. Impressionante. Sembrerebbe quasi di vedere la forma del suo cuore. Lehmann ne approfitta subito per attaccarmi con cattiveria. Gli presento singhiozzando le mie dimissioni. Sogghigna: sarebbe troppo facile. Lo supplico, adducendo che il Grande Magazzino non può aspettarsi niente di buono da una nullità della mia specie.

– La nullità si paga, Malaussène! Come il resto! *Più* del resto!

E si propone di farmela pagare così cara, la nullità, che l'enorme cliente attraversa improvvisamente la stanza per venire a posare i due pugni sulla scrivania.

– Ma ci gode proprio, lei, a torturare questo qui?

"Questo qui" sono io. È fatta, eccomi sotto la protezione di Sua Maestà il Muscolo. Lehmann gradirebbe una poltrona più profonda. L'altro si spiega: fin da quando era a scuola, gli giravano le palle a vedere i duri prendersela con i più deboli.

– Allora, tipo, stammi bene a sentire.

"Tipo" è Lehmann. Ceruleo. Del colore cioè dei ceri che si accendono perché tutto finisca. Quello che deve sentire è semplice. Primo, lui ritira il reclamo. Secondo, verrà presto a controllare se ho conservato il posto. Terzo, se non ce l'ho più, se Lehmann mi ha fatto cacciare...

– Ti spezzo come questo!

"Questo" è il grazioso righello d'ebano di Lehmann, un ricordo della colonia spaccato di netto tra le dita del mio salvatore.

Lehmann torna completamente in sé solo quando la scala mobile inghiotte l'ultimo centimetro cubo del mastodonte. Solo allora si dà una pacca sulla coscia e comincia a sganasciarsi dalle risate. Non ne condivido l'iralità. Non questa volta. Ho seguito fino in fondo la ritirata del muscoloso ("Non lasciarti mangiare il fegato da questi porci, ragazzo, attacca!" mi ha detto, mentre se la batteva), e una volta di più ho parlato a me stesso come a un altro. Pensava, De Muscoli, di affrontare il Grande Magazzino, un Impero, o perlomeno il Controllo Tecnico, un'Istituzione, potentemente astratta, e si era armato per lo scontro. Cavaliere senza macchia e senza paura, pronto a mettere in ginocchio da solo l'intera guarnigione. Ed ecco che si imbatte in un tipetto senza età (yourself Malaussène!) lo crede in punto di morte, e si scioglie, povero diavolo, come si è sempre sciolto, per eccesso di umanità. Quando ha girato i tacchi, il mio sommozzatore, gli ho guardato le scarpe, e ho pensato: "spero che le tue pinne siano in condizioni migliori".

Adesso sono io ad aprire la porta: – Per oggi basta, Lehmann, me ne vado a casa. Se c'è bisogno, Théo mi sostituirà.

La risata di Lehmann gli si inceppa in gola.

– Quel finocchio non è pagato per questo!

– Nessuno dovrebbe essere pagato per questo!

Infonde al proprio sorriso il maggior disprezzo possibile prima di rispondere: – È quello che penso anch'io.

(Te lo meriteresti il braccio meccanico, stronzo.)

Quando torno giù, il reparto giocattoli è pieno di gente.

– È la prima volta che vendiamo di più il 26 dicembre del 24!

L'osservazione viene dalla mia piccola rossa con la faccia da scoiattolo. Si rivolge all'amica, più sul tipo donnola, occupata a impacchettare un Boeing 747. L'amica ammicca. Le sue lunghe dita scivolano a velocità prodigiosa su un foglio di carta blu notte a stelle rosa, che si trasforma da sé in un pacchetto. Accanto all'imballatrice, su un ripiano per le dimostrazioni, una replica robotizzata di King Kong fa vedere di cosa è capace. È uno scimmione nero, tozzo, peloso, più vero del vero. Cammina sul posto. Tiene in braccio una bambola seminuda che assomiglia a Clara addormentata. Cammina eppure non avanza. Ogni tanto getta indietro la testa. Gli occhi rossi e la bocca spalancata lanciano saette. C'è una vera minaccia tra il nero opaco del pelo, il rosso sangue dello sguardo e il povero corpicino, così bianco tra quelle braccia terribili. (Dio mio, è proprio vero che quel lavoro comincia a pesarmi... ed è vero che la bambola assomiglia alla mia Clara...)

7.

Quando arrivo a casa ho ancora in mente lo scimmione nero. E quando il telefono squilla, mi costa una fatica enorme soltanto dire "pronto".

– Ben?

È Louna.

– Ben, voglio far saltare il piccolo inquilino.

Ah no! Non ho proprio voglia di ricominciare con questa storia, non stasera.

Rispondo, con voce cattiva: – Cosa ti aspetti da me? Che accenda la miccia?

Riattacca.

La prima cosa che vedo, riattaccando anch'io, è il muso ilare di Julius il cane, nella cornice della porta. Per tutto il giorno, non ha mollato la palla. Lo guardo con aria cattiva. Dico: – No, stasera no!

Si incorpora seduta stante al tappeto. Io mi addormento. Un'ora dopo, al risveglio, sollevo il ricevitore dell'interfono.

– Clara? Ho bisogno di prendere un po' d'aria, vi raggiungo dopo cena.

– D'accordo, Ben. La tua Leica ha fatto delle foto strepitose, te le mostrerò.

Julius è sempre lungo disteso. Mi lancia un'occhiata con aria dolorosamente interrogativa. L'altro padrone gli pone dei problemi. Per fortuna, lo incontra molto raramente.

Chiedo: – Andiamo a spasso?

Salta sulle zampe. Sempre d'accordo per uscire, sempre contento di rientrare, Julius. Un cane.

Non è solo il Grande Magazzino a saltare in aria. Anche Belleville. Con tutte quelle facciate mancanti lungo i marciapiedi, il viale sembra una bocca sdentata. Julius bighellona, il naso rasente al suolo, scodinzolando freneticamente. D'un tratto si accovaccia per innalzare nel bel mezzo del passaggio un sontuoso monumento alla gloria dell'odorato canino. Percorre poi una decina di metri, con il largo culo eretto, fiero di sé, e all'improvviso si immobilizza, come se avesse dimenticato qualcosa di importante. Gratta quindi l'asfalto come un ossesso con le zampe posteriori. Né all'altezza del suo sterco né nella direzione giusta, ma se ne infischia. Si libera, Julius, fa quel che deve fare. Non è un bancone di grande magazzino, lui: ha memoria. Anche se non sa più cosa ci sia dentro.

Cento metri più in là, la voce lamentosa di un muezzin si leva nel crepuscolo di Belleville. So bene cosa gli funge da minareto. È una finestrella quadrata, una presa d'aria per latrine o un lucernario sul pianerottolo tra il terzo e il quarto piano di una facciata decrepita. Mi lascio trascinare per un attimo dalle geremiadi di questo prete venuto da lontano. Snocciola una sura che forse tratta di una malvarosa il cui sacro stelo spunta nelle mutande del Profeta. In tutto ciò c'è un dolore di esilio poco sopportabile. Per la prima volta, rivedo il morto dilaniato del Grande Magazzino. Poi penso a Louna e mi do dello stronzo. E di nuovo le budella del meccanico dell'hinterland. Faccio appena in tempo ad appoggiarmi a un albero per non vomitare una seconda volta. Devo contare i passi per riuscire ad attraversare il viale ed entrare da Koutoubia.

Julius fila direttamente da Hadouch, in cucina. La voce del muezzin è coperta dalle conversazioni e dallo schioccare dei domino. Il fumo ristagna e la maggioranza dei presenti sta seduta davanti a un *pastis*. Mi sa che il fratello mussulmano del lucernario dovrà faticare parecchio per riportare i suoi alla purezza dell'Islam!

Appena mi vede, il vecchio Amar mi offre il suo più ampio sorriso. Sono sempre stupito dal candore dei suoi capelli. Fa il giro del bancone e mi abbraccia.

– Allora, figliolo, come stai?

– Bene.

– E tua madre come sta?

– Bene. Si riposa. A Châlons.

– E i bambini come stanno?

– Bene.

– Non li hai portati?

– Fanno i compiti.

– E il lavoro come va?

– Bene, da scoppiare.

Mi sistema a un tavolo, stende in un batter d'occhio una tovaglia di carta, si appoggia di fronte a me, sulle braccia tese, e mi sorride.

Chiedo: – E tu Amar, come stai?

– Bene, grazie.

– E i bambini come stanno?

– Bene, grazie.

– E tua moglie? Tua moglie Yasmina come sta?

– Bene, grazie a Dio.

– Quando gliene fai un altro?

– Torno ad Algeri la settimana prossima per farle l'ultimo.

Ridiamo. Più di una volta Yasmina mi è servita da madre quando ero piccolo, mentre mia madre serviva altrove.

Amar si occupa degli altri clienti. Hadouch depone davanti a me un cuscus che mi toccherà mangiare, se non voglio offendere nella stessa sera il Profeta e i suoi fedeli.

Constatando il mio scarso appetito, Amar si siede di fronte a me.

– Non va, eh?

– No, non va.

– Ti porto con me ad Algeri?

Why not? Per qualche secondo lascio che l'idea deponga nel mio cervello la sua luminosa scia di piacere. Amar insiste.

– Eh? Hadouch si occuperà del cane e dei bambini.

Ma la faccia piatta dell'ispettore praticante Caregga mi richiama all'ordine.

– Non è possibile, Amar.
– Perché?
– Per il lavoro.
Mi guarda incredulo, poi dice tra sé che ognuno ha la sua croce, e si alza battendomi una mano sulla spalla.
– Ti porto un tè.
La voce di Oum Kalsoum si alza dal video. Sullo schermo, sfila la folla immensa dei suoi funerali. Aspetto che il canto sfumi e lascio il ristorante, con Julius alle calcagna. La risata di Hadouch ci insegue per un po': – La prossima volta non gli do da mangiare, lo lavo, il tuo cagnaccio!

Ai bambini, racconto gli esordi titubanti dell'inchiesta, i miei due sbirri, Jib la Iena e Bas Basetta che scavano senza scrupoli nella vita privata dei "collaboratori" di Sainclair, la squadra di fantasmi che nottetempo sostituisce il bancone dei giocattoli, l'eroismo del Grande Magazzino che continua a vendere nonostante la minaccia, come se niente fosse. (The show must go on!) Intorno a noi, su delle corde tese, asciugano le foto di Clara. (Quante ore questa passione sottrae alla preparazione della maturità classica?) Ci sono foto dell'Orco Natale del Piccolo. Altre raccontano la scomparsa di Belleville e il sorgere di acquari levigati che l'abbelliranno domani. E poi una foto della mamma, giovanissima – all'epoca della mia nascita, più o meno. Già negli occhi la sete di altrove.
– Avevi il negativo?
– No, l'ho rifotografata.
– La incorniciamo, – dichiara Jérémy, – così non potrà più filarsela.
Thérèse stenografa assolutamente tutto quel che si dice, senza distinzioni, come se rientrasse in un unico e gigantesco romanzo. Poi, d'un tratto, con lo sguardo fisso da monaca anoressica inchiodato su di me: – Ben?
– Thérèse?
– Il morto? il meccanico dell'hinterland...
– Sì?
– Gli ho fatto il tema astrale, doveva morire così.
Clara mi lancia una rapida occhiata. Verifico che il Piccolo si sia addormentato e fulmino Jérémy con uno

sguardo, perché rinfoderi le solite scemenze. Fatto questo, dipingo sul mio bel viso tutto l'interesse possibile: – Vai, ti ascoltiamo.

– È nato il 21 gennaio 1919, Ben, c'è scritto sul necrologio. Quel giorno Marte era in congiunzione con Urano a 325°, e tutti e due in opposizione a Saturno a 146°.

– Ma davvero?

– Taci, Jérémy.

– Marte, l'azione, congiunto a Urano, pianeta dei disordini violenti, in opposizione con Saturno, indica un temperamento creativo e malefico.

– Ma sei sicura?

– Jérémy, taci!

– Marte e Urano nell'ottava casa annunciano una morte violenta, la morte propriamente detta interviene quando Marte transita sulla Luna Radicale, cosa che si è verificata esattamente lo scorso 24 dicembre!

– Nooo!

– Jérémy...

8

Non ci sono state bombe l'indomani. Né due giorni dopo. Né i giorni seguenti. La preoccupazione dei colleghi a poco a poco è calata. Non è più un argomento di conversazione. Giusto un ricordo. Il Grande Magazzino ha ripreso il ritmo di crociera. Naviga al largo delle contingenze esplosive. Lehmann interpreta la parte del sottocapo con più zelo del solito. I vecchietti di Théo si prendono per dei costruttori di imperi. Lo stesso Théo arricchisce ogni giorno l'album del Piccolo. I poliziotti continuano a perquisire dipendenti e clienti che sollevano le braccia e sghignazzano. Sainclair ha perso ottocento collaboratori per ritrovare ottocento dipendenti. Lecyfre trasmette le parole d'ordine del sindacato, Lehmann le parole d'ordine dell'azienda. Io mi lascio debitamente strapazzare. Smarriti nella mia immaginazione che si va prosciugando, Jib la Iena e Bas Basetta cominciano ad avere il fiato corto. I bambini minacciano di sostituirmi con la tivù, se mollo. Louna non mi telefona più. Tutto è rientrato nell'ordine. Fino al 2 febbraio.

La ragazza è bellissima. Genere leonino. Una chioma rossa cade in fitte onde sulle larghe spalle che si intuiscono muscolose. Ha fianchi italiani che ondeggiano placidi. Non è più giovanissima. È nell'età della pienezza simpatica. La parte superiore della gonna, incollata sul sedere, rivela la traccia di uno slip minimalista. Non avendo altro da fare che aspettare una chiamata di Miss Hamilton, decido di seguire la bella apparizione. Lei rovista qua e là sui banconi. Le sue braccia seminude sono cerchiate di un'argenteria mediamente orientale. Ha lunghe dita nervose brune e agili, che per afferrare devono avvolgersi. La seguo con la disinvoltura del pesce che sono diventato nelle acque torbide del Grande Magazzino. Gioco a perderla per offrirmi il piacere di ritrovarla all'incrocio di due corridoi. Durante questi incontri falsamente inattesi, lascio che l'adrenalina mi faccia rizzare tutti i capelli interiori. Una cosa mi preoccupa, non riesco a stanare il suo sguardo. La criniera è troppo folta. E troppo mobile. Dal canto suo, neanche mi vede, ovviamente. (Trasparenza del mio completo da lavoro.) Il giochetto dura per un po', e raggiungo uno stato di desiderio assoluto, quando accade. Gironzolava da cinque minuti buoni davanti al reparto degli shetland. D'un tratto, le sue dita spuntano, si avvolgono, un golfino viene interamente aspirato nel palmo della sua mano, poi la mano è inghiottita dalla borsa, che deglutisce, e rispunta una mano vuota.

L'ho vista. Ma dall'altro lato del bancone, l'ha vista anche Cazeneuve, lo spione di turno. Per fortuna io le sono più vicino di quanto non lo sia lui. Così, mentre sfodera gli artigli e fa il giro del reparto, copro i due passi che mi separano dalla mia bella ladra. Tuffo la mano nella borsa, la costringo a voltarsi verso di me e tiro fuori il golf che le appoggio sulle spalle come se glielo provassi. Intanto, mormoro tra i denti, con aria pensosa: – Non faccia la stronza, il delatore di servizio sta proprio dietro di lei.

Non solo ha il riflesso di non protestare, ma esclama con una bella voce rauca: – Mi sta bene, no? Cosa ne pensi?

Colto di sorpresa, rispondo la prima cosa che mi salta in mente: – Sta molto bene con i tuoi occhi, zia Julia, ma non con i capelli.

In realtà vedo solo i suoi occhi. Due mandorle screziate d'oro, orlate da ciglia che quasi mi solleticano il naso. Dietro queste meraviglie, altri due occhi mi fulminano. Sono gli oblò di Cazeneuve. Getto con noncuranza il golf sul bancone, ne scelgo un altro che dispiego davanti alla tipa con aria da intenditore. Tornato in sé, Cazeneuve interviene. Va per le spicce.

– Piantala di fare il buffone, Malaussène, ho visto benissimo che questa tipa ha cercato di fregare l'altro golf.

– "Questa tipa"? È così che si parla ai clienti, Cazeneuve? Un bravo ragazzo come te?

Dico questo con il tono sognante di chi pensa ad altro. È che il secondo golf (ho deciso, mi piazzo nel settore abbigliamento) alla graziosa leonessa sta da dio. E dico: – Questo ti sta molto bene, zia Julia.

Non sono l'unico ad ammirare "zia Julia". Un buon numero di clienti hanno il fiato mozzato. Tra cui una vecchia coppia dall'aria intenerita e dai capelli bianchissimi. Reggono una sporta verde e ci mangiano letteralmente con gli occhi.

– Malaussène, per piacere, non impedirmi di fare il mio lavoro.

È la voce stridula di Cazeneuve. Nel frattempo, non lontano da lì, uno dei vecchietti di Théo si intasca un vibromassaggiatore.

– Non ti impedisco di fare il tuo lavoro, Cazeneuve, ti impedisco di prenderci troppo gusto.

– Signorina, lei si è messa lo shetland nella borsa, l'ho vista!

La ragazza si aggrappa al mio sguardo come a un salvagente. Viso largo, zigomi pronunciati, labbra umide.

– Forse che io ti chiedo dove vai a farti l'abbronzatura, Cazeneuve?

Ho colpito nel segno. Il bel muso di terracotta, Cazeneuve se lo fa lucidare gratis, tutti i giorni, al reparto lampade solari. Aggiungo: – Lascia in pace zia Julia o ti pigli un ceffone.

È in quel momento che la cosa accade, come al rallentatore, nel Grande Magazzino che sembra totalmente immobilizzato. Cazeneuve impallidisce. Proprio dietro a lui, i due adorabili vecchietti si voltano l'uno verso l'altro sorridendo. E attaccano a pomiciare alla gloria dei loro cent'anni! Un bacio di una sensualità incredibilmente contagiosa. Tra i due corpi congiunti, intravvedo l'angolo della sporta verde. Verde mela.

E Cazeneuve riceve il ceffone promessogli. Soltanto che non sono io a darglielo. È il braccio strappato alla vecchia signora. Seguo con lo sguardo la curva perfetta disegnata dal geyser di sangue che ne fuoriesce. Vedo il volto dell'uomo, nitidamente, uno sguardo incredulo sotto una frangia di capelli bianchi, sottili come capelli di

bambini, e tagliati alla romana. Vedo la faccia di Cazeneuve. La sua guancia, improvvisamente flaccida, riper-
cuote l'onda dell'urto e tutto il resto del viso.

Ed è soltanto allora che sento l'esplosione. Un muro
di mattoni volatilizzato nella mia testa. Scagliato in
avanti, Cazeneuve ci manda in terra zia Julia e me.

9.

Il vantaggio di trovarsi sul luogo stesso di un'esplosione sta nel fatto che nessuno ti calpesta. Tutti fuggono lontano dell'epicentro. Il peso della ragazza distesa su di me mi schiaccia al suolo: sembra volermi proteggere da mitragliatrici nemiche. A guardarci meglio, però, è semplicemente svenuta. La stendo delicatamente sul fianco reggendole la testa nell'incavo della mano, e le tiro giù il vestito sulle gambe scoperte. Cazeneuve ci sta di fronte, seduto, estatico, come un bambinetto davanti al suo primo castello di sabbia. È coperto di sangue e qualcosa di immobile in lui si chiede se è suo o di qualcun altro. (È la prima volta che lo vedo pensare.) Pochi metri dietro Cazeneuve, due corpi, aggrovigliati eppure divisi, giacciono in una spaventosa poltiglia sanguinolenta. Mi alzo a fatica. Intorno a me, un panico da vivaio nel momento della pesca. Tutti i pesci vogliono schizzar fuori dall'acqua. Balzano, ricadono, si scontrano, cambiano bruscamente direzione, come se volessero fuggire a un'invisibile rete. La cosa più allucinante è che tutto ciò si svolge in un silenzio da fondali marini. Interi banconi crollano, manichini da esposizione esplodono sotto i piedi dei fuggitivi. *E tutto questo senza il benché minimo rumore.* Sto in fondo a un gigantesco acquario impazzito. Intanto anche zia Julia si risveglia. Vedo le sue labbra muoversi ma non sento niente. *Sordo.* L'esplosione mi ha reso *sordo*. Istintivamente, porto le dita alle orecchie. Nessuna traccia di sangue. Questo mi tranquillizza un po'. Mi accovaccio di fronte a zia Julia e le prendo il viso tra le mani: – Niente di rotto?

Sento la mia voce come se mi stessi telefonando. La ragazza risponde qualcosa, poi fa per voltarsi, ma glielo impedisco. Eppure, il groviglio sanguinolento non mi rivolta lo stomaco, questa volta no. Ci si abitua a tutto, pare. I due corpi danno l'impressione di essersi scambiati le viscere, in una sorta di comunione ultima. Si sono fusi. Più nessuna traccia della piccola sporta verde mela. I due ventri la covavano, e si è schiusa.

Due tizi vestiti di bianco portano via Cazeneuve completamente suonato. Qualcuno mi batte sulla spalla. Mi volto. A riprova del fatto che la storia si ripete sempre nel peggio, il piccolo pompiere dell'altra volta comincia a spiegarmi tutta la faccenda. Due lumache rosa si dimenano sotto i baffi sottili. Ma – somma gioia – non lo sento.

Sono rimasto quattro lunghe ore all'ospedale. Mi hanno ispezionato da cima a fondo. Nessun danno. Ho provato un piacere infantile a lasciarmi manipolare. Come quando ero ragazzino e mia madre o Yasmina, la moglie del vecchio Amar, mi facevano il bagno. La sordità contribuisce al piacere della cosa. Ho sempre pensato che sarei potuto essere un buon sordo e un pessimo cieco. Toglietemi il mondo dalle orecchie, mi piacerà. Tappatemi gli occhi, morirò. Ma dato che le cose migliori prima o poi finiscono, il mondo riesce a farsi largo fino ai miei timpani. Sento le conversazioni delle infermiere e dei medici intorno a me. In un primo momento, non capisco niente. Come se parlassero in uno scompartimento accanto al mio. Poi, tutto si fa più chiaro. Si tratta semplicemente di tenermi in osservazione per una settimana. Potrebbero esserci delle complicazioni per quanto riguarda il cervello. Una settimana di ospedale! Mi vedo già la faccia dei bambini e di Julius.

– Non se ne parla nemmeno!

Un lungo camice bianco dal viso cavallino si china su di me.

– Ha detto qualcosa?

– Sì, ho detto di no. Non voglio rimanere qui, sto benissimo, nessun problema, torno a casa.

Il camice bianco riferisce a un camice ancora più bianco, teso su un ventre tondo.

– Non possiamo lasciarla andare, vecchio mio. Non prima di aver fatto tutte le radiografie necessarie.

Sono ancora disteso sul tavolo di auscultazione. Il ventre enorme mi parla proprio davanti al naso. Tutti questi pancioni esplosivi... E se mi scoppiasse in faccia, anche quello?

Dico: – Non potete certo trattenermi qui contro la mia volontà.

Fuori, è notte inoltrata. Sto andando a piedi verso la metropolitana quando una macchina si accosta al marciapiede, mi raggiunge, mi suona il clacson. Un clacson degli anni cinquanta, di quelli che fanno "tutt". Mi volto: zia Julia, all'interno di una 4 cavalli giallo limone, mi fa gran gesti di invito.

– È a piedi? Salga, le do un passaggio.

Salgo nella reliquia di zia Julia.

– Le hanno fatto firmare un esonero? Anche a me. Si coprono le spalle, è normale.

Guida la 4 cavalli come un transatlantico, senza scosse. Una vera prodezza, conoscendo il motore. Navighiamo verso il Père Lachaise. Intanto, zia Julia parla. Parla, e io rivedo la sporta verde mela e i corpi che si richiudono. Poi lo sguardo terrorizzato di Cazeneuve. Cazeneuve non ha niente, ci metterei la mano sul fuoco. Un po' traumatizzato, tutto qui. La carica è esplosa nel nido ermetico formato dai due ventri, come all'interno di un uovo dal guscio molle.

– Scopavano come angeli!

Angeli che scopano? Quali angeli? Chi scopa? Zia Julia mi guarda con occhi velati di un'indicibile nostalgia. Dice: – I Sandinisti. Scopavano come angeli. Senza sosta. Facevano l'amore ridendo. E quando godevano, erano lunghe tirate roventi, fino alla totale estinzione del mio incendio. L'ho provato una sola volta, a Cuba, all'indomani della Rivoluzione. Avevo quattordici anni. Due giorni prima che il console mio padre si facesse cacciare. Dopo ci sono tornata, ma era tutto finito: c'era già l'erezione realista-socialista, il coito stakanovista...

Tace per un momento. Il tempo per me di riprendere fiato. (È stata la bomba ad averla messa in questo stato?) Un semaforo rosso diventa verde. Zia Julia riparte insieme alla macchina.

– Adesso, anche il Nicaragua è rovinato... il piacere costruttivo.

Il viso, contratto in un'espressione di disgusto, all'improvviso si distende, e la bella voce rauca si rituffa in gioiose certezze: – Per fortuna, ci saranno sempre i Moi, i Maori, i Sataré.

Dico: – I Sataré?

– I Sataré dell'Amazzonia brasiliana!

Spiega: – Hanno muscoli lunghi, precisi, ben disegnati. Le spalle e i fianchi non ti si sciolgono tra le dita. L'uccello ha una morbidezza setosa che non ho mai trovato altrove. E quando ti penetrano, si illuminano dentro, come dei Gallé 1900, stupendamente ramati.

E così, mentre una Parigi invernale e notturna scorre ai lati della nostra piroga, zia Julia espone il corpo sontuoso della sua teoria. Secondo lei, solo i rivoluzionari all'indomani della vittoria e i grandi primitivi sanno scopare come si deve. Gli uni e gli altri hanno l'eternità in testa, scopano al presente dell'indicativo, come se dovesse durare per sempre. In qualsiasi altro posto al mondo, si fotte al passato o al futuro, si commemora o si costruisce, ci si perpetua o ci si moltiplica, ma nessuno si occupa di se stesso. La sua voce è diventata straordinariamente convincente.

– Voglio dire occuparsi di sé, qui, dell'uno e dell'altro, in questo momento, di te e di me...

Fari puntati su zia Julia. Non le tolgo più gli occhi di dosso. I suoi contorni sono iridati dalle luci della città. E poi, all'improvviso, mi appare tutta intera, nel bagliore di una vetrina di lampadari. (Mamma mia!...)

10.

Abbiamo lasciato la macchina in doppia fila, abbiamo fatto i due piani di scale di corsa come se fossimo inseguiti, ci siamo buttati sul mio letto come nel laghetto di un'oasi, ci siamo strappati i vestiti come se fossero in fiamme, i suoi seni mi sono esplosi in faccia, la sua bocca si è richiusa su di me, la mia ha trovato il bacio palpitante del suo desiderio Maori, le nostre mani hanno corso in ogni direzione, hanno accarezzato, impastato, stretto, penetrato, le nostre gambe si sono avvinghiate, le nostre cosce hanno imprigionato le nostre guance, i ventri e i bicipiti si sono inturgiditi, le molle del letto hanno risposto, la mia stanza ha riecheggiato, e poi, d'un tratto, la splendida testa leonina di zia Julia è emersa al di sopra della mischia, aureolata dell'incredibile criniera, e la sua voce, ora aspra, ha domandato: – Cos'hai?

Ho risposto: – Niente.

Non ho niente. Assolutamente niente. Nient'altro che un misero mollusco rannicchiato tra le sue due conchiglie. Che non vuole tirar fuori la testa. Per paura delle bombe, immagino. Ma so di mentire a me stesso. In realtà, la stanza è piena di gente. Affollata da scoppiare. Tutt'intorno al letto si ergono spettatori sull'attenti. E non sono spettatori qualsiasi! Tutta una schiera di Sandinisti, Cubani, Moi, Sataré, nudi come mamma li fece o in uniforme, cinti di balestre o di kalashnikov, bronzei come statue, aureolati di polvere gloriosa. Ce l'hanno duro, loro! E con le mani sui fianchi, ci offrono un picchetto d'onore spesso, teso, arcuato, che me lo ammoscia.

– Niente, ripeto. Non ho niente. Scusami.

E, non essendoci altro da fare, ridacchio.

– Ah! E lo trovi anche divertente?

Si può ridere proprio perché non lo si trova affatto divertente. Glielo spiego. Mi scuso ancora. Le dico che siamo circondati da una giuria olimpionica e che non sono mai stato portato per le gare.

Lei dice: – Capisco.

Ora spiega a sua volta. La nostra disavventura sarà, tra l'altro, la conclusione dell'inchiesta sugli amori primitivi e rivoluzionari che deve consegnare per il prossimo numero di *Actuel*.

– Ah, – dico, – perché tu lavori ad *Actuel*.

Sì, lavora lì.

– Quello che uccide l'amore, vedi, è la cultura amorosa: a qualsiasi uomo verrebbe duro, se non sapesse che agli altri uomini viene duro.

Provo ad accarezzarla mentre espone la sua teoria, ma lei scosta la mia mano. Niente surrogati.

– Sì, la creatività viene soffocata dal riferimento...

Dov'è Julius? Mi domando dov'è Julius. Dietro i fornelli di Hadouch probabilmente. Che vita di merda! Ti esplodono bombe sotto il sedere, una coalizione di Indiani ed eroi te lo taglia sul più bello, e il tuo cane adorato si abboffa tranquillamente al solito ristorante. Porco di un Julius, non ti conosco più. Per tre volte. Il rinnegamento di San Pietro.

E proprio in quel momento, ovviamente, la porta della stanza si apre. Julius. Eh! sì, è Julius.

11.

Ma c'è anche Thérèse, che rimane in piedi sulla porta. E Julius, che rimane seduto accanto a lei. Un'altra testa emerge: Louna. Un'altra ancora: Jérémy, sollevato sulle punte dei piedi. E adesso Clara. Si spintonano senza varcare la soglia. Thérèse dice: – Ah! Sei vivo.

Né carne né pesce.

Indico il mollusco con un cenno del capo e dico: – Poco poco...

Thérèse rivolge il suo più casto ghigno alla mia compagna di stanza che, sempre nuda, è rimasta a bocca aperta nel bel mezzo della spiegazione.

– Zia Julia, suppongo?

Adorabile sorellina. Ora, il poco prestigio che mi resta viene affondato miseramente. Zia Julia sa di non essere la prima zia Julia della mia vita. Se Thérèse continua di questo passo, ben presto Julia saprà tutto della mia strategia di abbordaggio. Eh! sì, mi vergogno. Rimorchio le belle ladre del Grande Magazzino. È la triste verità. L'uomo è ignobile. Ma c'è di peggio. Un altro uomo: Cazeneuve, per esempio. O tutti gli sbirri aziendali come lui, che danno la caccia alle ladre solo per costringerle tra una puntata in Direzione e una botta, in un camerino. Perlomeno io non stupro. Direi anzi che ogni volta che seduco zia Julia la salvo da un oltraggio. Dopodiché, faccio quel che posso.

Difficile dire se Thérèse è felice di vedermi vivo. Il suo regno non è di questo mondo. Con voce perfettamente clinica chiede a Julia: – Come fa a dormire sulla pancia, con un seno così grosso?

Julia sgrana gli occhi. E proprio quell'espressione di stupore furente viene colta dal flash di Clara sparato sopra le teste.

A questo punto, fratelli, sorelle e cane sono spinti dentro la stanza dalla pressione urlante di una folla di sconosciuti. Una compagnia ridanciana, corpi mezzi nudi, di una bellezza almeno pari a quella dei Sataré di zia Julia. Tutta questa bella gente si tuffa nel nostro letto e si mette ad accarezzarci da ogni parte. Esclamazioni varie in un idioma sconosciuto: – Vixi Maria, que moçalinda!

E o rapaz também! Olha! O pelo tão branco!

Julia fa una faccia strana, tra estasi e incredulità, come se i suoi sogni avessero preso corpo sotto l'effetto della frustrazione.

– Parece o menino Jesus mesmo!

L'ultima battuta è detta in un modo così buffo che tutti si sbellicano, perfino chi non capisce. Le carezze raddoppiano, il flash di Clara crepita, Julius cerca di farsi largo fino al padrone, Jérémy sgrana due occhi grandi come padelle. Louna sorride come una donna incinta, il Piccolo batte le mani e salta a pié pari, Thérèse aspetta che tutto finisca, Julia comincia a render carezza per carezza, e io ho una paura terribile di veder sbarcare l'Assistente Fata Sociale, scortata dall'Angelo azzurro della Buon Costume, con il képi. E invece no, ad entrare in scena ora è l'organizzatore della simpatica festicciola.

– Théo!

Sfoggia un completo verde prato il cui taschino è ornato da un cuore di lattuga, nel centro del quale ha appuntato un petalo di rosa. Nell'album del Piccolo c'è una foto di Théo con addosso lo stesso abito e la didascalia: *"Questo è Théo quando dà da mangiare al Bois."*

E mi guarda spisciandosi.

– Ebbene sì, sono io! A chi si rivolge la tua famigliola quando viene a sapere che il fratellone è saltato in aria? Al sottoscritto! Sfiga volle che stasera non fossi in casa, e allora sono venuti a cercarmi al Bois.

– Al Bois?

– *De Boulogne*. È la sera in cui porto da mangiare alle mie amiche brasiliane per consolarle di star lì in piedi a gelare in tenuta da combattimento. Quando all'ospedale mi hanno detto che eri tutto intero, ho deciso di portartele per festeggiare. Sono affettuose, vero?

(Al Bois de Boulogne... i miei piccini... un giorno o l'altro sarò privato dei miei diritti di fratello.)

Il seguito si svolge di sotto, dai bambini, dove improvvisiamo una cena brasiliana. Jérémy ha scovato da un amico del palazzo un disco di Ney Matogrosso, il più fuori dei cantanti plurisessuati del continente sudamericano. La musica va a tutto volume. Zia Julia balla con i suoi sogni incarnati. Io bevo un caffé brasileiro dopo l'altro, covato dai teneri sguardi di Théo e di Clara. Jérémy segue il ritmo della musica e picchia su tutto quello che può rimbombare in un appartamento. Il Piccolo dorme come qualsiasi bambino della sua età in mezzo a qualsiasi bombardamento. Louna, naturalmente, sorride, e Thérèse, seduta sul bordo del letto, stringe nella mano la lunga mano bruna e forte di un gigantesco travestito bahiano, scuro e luminoso come il caffè che mi tapezza le interiora. Solo i palmi delle loro mani sono illuminati da una minuscola lampada da notte. Non so quanto l'altro capisca delle predizioni di mia sorella, ma i suoi occhi estasiati lanciano gli stessi bagliori del lamé della minigonna. Poi, d'un tratto, fa un balzo all'indietro. Punta verso Thérèse un dito tremante e si mette a urlare: – Essa moça chorava na barriga de mãe.

Di botto si ferma tutto, musica, danze, il caffè nel mio gargarozzo.

– Cosa dice?

Théo traduce: – Dice che Thérèse piangeva nella pancia della madre.

Ritorno di sedici anni indietro e freddo glaciale nell'animo. (Sento, nitida, la voce della mamma che mi dice: "Il bambino piange." "Il bambino piange?" "Nella pancia, Benjamin, lo sento piangere nella pancia!")

Con la maggior calma possibile chiedo: – E allora?

Il travestito che ballava con zia Julia, lo stesso che prima mi paragonava ridacchiando a Gesù Bambino, spiega, con voce molto pacata, e priva del benché minimo accento: – Da noi, signore, vuol dire che ha il dono della veggenza.

Poi, fruga nella borsetta di strass, ne estrae una statuetta di vetro azzurrino, riempita d'acqua. Si inginocchia davanti a Thérèse e gliela porge mormorando: – Para você, mae; um presente sagrado.

– È una statuetta di Yemanja, – spiega Théo, – la loro

divinità del mare. Pare che riesca sempre a tirarti fuori dai guai.

Il diavoletto positivista si risveglia dentro di me e mi sussurra all'orecchio: – Per questo finiscono al Bois.

Thérèse prende la statuetta senza una parola di ringraziamento e la mette sulla piccola mensola dove ripone tutte le divinità della sua collezione.

12

– Quanto tempo è rimasto nei pressi del reparto pullover?

– Circa dieci minuti.

– Cosa faceva?

– Aiutavo un'amica a scegliere uno shetland.

– Un'amica di lunga data.

(Maledetto Cazeneuve, lo sapevo che non si era fatto niente!)

– Generalità e indirizzo prego.

Non è l'ispettore Caregga, è il commissario Rabdomant. Nei locali della Polizia Giudiziaria.

Il commissario Rabdomant assomiglia al proprio cognome. È un cercatore nato, senza passione. Cerca malviventi, assassini, oggi un bombarolo, ma sarebbe ugualmente potuto andare in cerca della scissione dell'atomo o della pozione anti-cancro. È il caso dei suoi studi superiori ad averlo posto di fronte a me invece che dietro a un microscopio. È decorato della Legione d'Onore, appuntata su un completo verde bottiglia sotto il quale non porta fondina. Davanti alle mie esitazioni, mi spiega con calma che la mia testimonianza è assolutamente fondamentale, essendo io il principale testimone oculare.

– Allora, questa amica dello shetland?

Gli rispondo che più che amica è una conoscente, che chiamo "zia Julia" e che lavora al giornale *Actuel*.

In quel momento una porta sbatte e faccio un salto di due metri. Fottuto caffè brasiliano! Mi ha scuoiato vivo.

– Non sia così emotivo, signor Malaussène, sono solo domande di ordinaria amministrazione.

Non sono emotivo, sono un uccello implume, appollaiato su una linea ad alta tensione, che ritrae la coda tra le zampe per non toccare il filo di fronte.

È tutta la superficie del mio povero corpo a registrare la domanda seguente.

– Non ha notato niente di particolare durante quei dieci minuti?

Non ho notato niente. Ho veramente visto quello che succedeva solo nel preciso istante in cui è successo. Ma allora, lì, con una precisione iperrealista. Soprattutto l'angolo della sporta verde mela, i corpi che si richiudono. Glielo dico. Una macchina da scrivere corazzata registra le mie frasi. Ogni raffica mi fulmina. Rabdomant aggrotta le sopracciglia e chiede: – Potrebbe farmi una descrizione precisa delle vittime?

– Dell'uomo, soprattutto. Per quanto riguarda la donna, ho visto solo il braccio...

Dipingo il tipo come una specie di imperatore romano avanti negli anni. Claudio a fine corsa.

– E sotto la frangia di capelli bianchi, occhi azzurrissimi, sul tipo Pétain.

– Proprio così.

D'un tratto mi ricordo il bacio della coppia, quella stretta, di un'incredibile giovinezza.

– È sicuro?

– Assolutamente certo. Perché?

– Lo leggerà sui giornali: erano fratello e sorella.

E aggiunge, come se la precisazione dovesse escludere gli amori incestuosi: – Lui era un ingegnere del Genio Civile in pensione.

Poi, come tra sé: – In ogni caso, non ha importanza, sarebbe anche potuto essere lei.

E con uno sguardo furbo: – Lei e la signora sua zia.

Silenzio. La porta si apre. Una segretaria muta posa un piccolo vassoio sulla scrivania accanto al marocchino verde. Il commissario dice "grazie, Elisabeth" e chiede: – Caffè?

Faccio un salto.

– Mai!

Sorride servendosi.

– Almeno su questo punto, lei mente, Malaussène.

Piccola finezza. Quindi beve lentamente il suo caffè, il cui odore mi stravolge. Posa la tazzina sul vassoio e dice:

"La ringrazio, Elisabeth", incrocia le mani davanti a sé, schiocca un'ultima volta le labbra per non perdere nulla dell'aroma e mi fissa.

Elisabeth se la svigna con il vassoio.

– Un'ultima domanda, signor Malaussène. In cosa consiste esattamente la sua mansione, al Grande Magazzino? Non emerge molto chiaramente dalla sua deposizione.

E non a caso...

Curiosamente, proprio in questo istante prendo coscienza dell'arredamento. È in stile impero, l'ufficio del commissario di divisione Rabdomant. Dalle sedie traballanti dall'aspetto pseudo-romano al servizio da caffè marchiato con la maiuscola imperiale N, per non parlare del divano Récamier che brilla discreto accanto alla libreria di mogano, tutto è immerso nella luce vegetale di una tappezzeria color spinaci costellata di piccole api d'oro. Se cercassi bene, scoverei sicuramente il mini-busto del mini-Corso, una riproduzione del mini-bicorno e il memoriale di Las Casas nella libreria. Sebbene non abbia alcun nesso con la domanda che lui ha appena fatto, mi chiedo se ha pagato l'arredamento di tasca sua, il commissario di divisione, o se ha ottenuto dall'amministrazione un credito speciale per rivestire i locali con i colori della sua passione. In entrambi i casi, la conclusione è una sola: quest'uomo non rientra a casa tutte le sere. Ci sta bene, qui. E chi ama la cornice, ama il lavoro. Sgobba venticinque ore su ventiquattro, il piedipiatti. Non si può fare troppo i furbi con la reincarnazione di Fouché. Da qui la mia decisione di non mentirgli.

– Faccio il Capro Espiatorio, signor commissario.

Il commissario Rabdomant mi rimanda uno sguardo assolutamente vuoto.

Allora gli spiego che la funzione detta di Controllo Tecnico è assolutamente fittizia. Io non controllo proprio niente, poiché niente è controllabile nella profusione dei mercanti del tempio. A meno di non moltiplicare per dieci gli effettivi dei controlli. Dunque, quando arriva un cliente con una lamentela, vengo chiamato all'Ufficio Reclami nel quale ricevo una strapazzata assolutamente terrificante. Il mio lavoro consiste nel subire l'uragano di umiliazioni con un'aria così contrita, così miserabile, così profondamente disperata, che di solito il cliente ritira il reclamo per non avere il mio suicidio sulla coscienza e tutto si conclude in via amichevole, con il minimo dei danni per il Grande Magazzino. Ecco, sono pagato per questo. Profumatamente, peraltro.

— Capro Espiatorio...

Il commissario Rabdomant mi guarda, con l'aria sempre assente.

Allora chiedo: — Non ce l'avete nella Polizia?

Mi esamina ancora un istante, e conclude: — La ringrazio, signor Malaussène. È tutto per ora.

13.

Quando mi ritrovo fuori, ho l'impressione di camminare scalzo sopra un tappeto di spilli. Mi ballano le palpebre, le mani mi tremano, batto i denti. Ma cosa diavolo ha potuto ficcarci Yemanja in quel caffè? Faccio appena in tempo a passare da casa e farmi tre valium (tre valia?) prima di andare all'assemblea intersindacale, prevista per le diciotto e trenta nella sala mensa. Il valium mi avvolge il corpo di nuvole, senza cambiare nulla allo stato dei nervi. Visto dall'esterno, sembro in estasi, dentro invece friggo, come una bobina elettrica che non smette di bruciare.

Théo mi guarda, incredulo: – Sei in astinenza?

– Un'overdose, piuttosto...

L'assemblea è al culmine. Per una volta, tutti i dipendenti sono presenti. Sindacalizzati o meno, CGT o "fedeli all'azienda", sono tutti qua, i cari "collaboratori" ("trici") di Sainclair. Lecyfre, il distributore automatico della parola d'ordine CGT, è sopraffatto dalla situazione. Lehmann, l'eletto programmato "azienda" non può fare di meglio. Le provano tutte. Hanno un bel gridare "per favore, compagni", "un po' d'ordine, amici", alzando le braccia per placare la tempesta, niente da fare. Prevale il panico. Ognuno sbraita di strizza, di rabbia o semplicemente la propria opinione. L'acustica coltello-latta-pyrex-cemento dell'immenso salone non facilita le cose. Un casino tale che non puoi nemmeno sentire cosa dice il vicino di fianco. "E se davvero lo facesse saltare?" Vai a sapere perché, questo pensiero mi coglie in maniera del tutto inattesa. E se Louna abortisse? In un baleno, vedo un amore che è tutta una vita andare a farsi fottere, poi, nel caso opposto, lo stesso amore fregato, divorato al seno di Louna dal piccolo concorrente mammellofago.

– Tu forse hai un'opinione in merito, Malaussène?

La domanda di Lecyfre, buttata lì senza preavviso, mi prende alla sprovvista.

– Ne sai qualcosa, no, dello scontento della clientela?

Ha urlato la domanda solo per ottenere il silenzio concentrando su di me l'attenzione generale. Un'infinità di teste si sono già voltate. Abbastanza numerose da farmi sentire davvero solo. Penso che un cliente insoddisfatto dei miei servigi possa piazzarci delle bombe sotto il sedere? È questa la domanda?

– Un addetto al Controllo Tecnico deve avere un'opinione in merito, soprattutto quando fa così bene il suo lavoro!

Niente da ribattere, ovviamente. Quindi, taccio. Mi limito a sollevare verso Lecyfre un pugno stanco, da cui lascio emergere il dito medio, precedentemente umettato. Lehmann scoppia in una grassa risata, seguito da alcuni altri. Il sorriso di Lecyfre dice chiaramente che me la farà pagare. Intanto, ha ottenuto la calma desiderata. Gli sguardi mi mollano, alcuni più lentamente di altri. Qualcuno dichiara che, no, le bombe, mica possono venire dalla clientela spicciola. Il dibattito si organizza su altre basi. È il Grande Magazzino a essere preso di mira, non c'è alcun dubbio. Lecyfre e i suoi ritengono che il problema non possa venire che dalla Direzione. Lehmann invano fa no con la testa: la tesi trova dei seguaci. Parecchie commesse invocano un'indagine economica. Lassù devono esserci dei giri loschi e fruttuosi che sono poi all'origine della repressione. Le bombe sono le uova esplosive di un piccione che si vendica. A meno che – posizione Lehmann – non si tratti dell'inizio di un racket. Racket? Che racket? L'attentato (gli attentati!) sono stati rivendicati da qualche organizzazione? No, che si sappia. La Direzione ha forse ricevuto offerte di protezione? No? Allora? Stronzata, la tesi del racket. Un solitario, che cerca di ottenere la chiusura dei Grandi Magazzini. Ecco cos'è!

Sì, ci siamo. Ecco il vero ordine del giorno della riunione. Che atteggiamento adotterà il personale del Grande Magazzino se la Direzione decide di chiudere bottega?

Proteste da ogni parte, urla, unanimità. Di chiudere non se ne parla. Se il Grande Magazzino chiude, lo si occupa. I dipendenti non devono pagare per le cazzate della Direzione. Sì, ma la sicurezza? Silenzio. Tutte le braccia ricadono contemporaneamente.

– Stai a vedere che adesso chiedono una indennità di rischio.

È Théo che se la ride.

– Venderemo mutandine nascoste dietro sacchi di sabbia. La guerra gentile: Lehmann potrà finalmente rimettersi la tenuta mimetica e ai clienti saranno distribuiti giubbotti antiproiettili.

Théo continua su questo filone, ma non lo ascolto più. Ascolto qualcos'altro: qui, nel centro geometrico del mio cervello, un sottile fischio a ultrasuoni. Che stride. Il suono gira su se stesso come un bengala messicano e diffonde poi una specie di dolore in direzione delle orecchie. E si fa teso, rovente, e mi ritrovo ben presto sospeso nello spazio a un filo d'acciaio incandescente che mi attraversa il cranio. Il dolore mi fa spalancare una bocca enorme da cui non esce alcun suono. Poi si attenua. E scompare. Théo, che mi guardava come se stessi per morire, si tranquillizza. Dice qualcosa che non sento. *Sono sordo*. Rispondo lo stesso: – Tutto bene, Théo, tutto bene, è passato, grazie.

La voce mi esce da un microscopico scafandro che strilla dal fondo di un tallone. Faccio segno a Théo di interessarsi di nuovo alla tribuna, dove il dibattito prosegue. Le bocche si spalancano, le dita si tendono. Lecyfre e Lehmann distribuiscono autorizzazioni. Non sento assolutamente più nulla, ma *vedo*. Vedo schiene attente e nuche angosciate. E per la prima volta mi rendo conto di conoscerle tutte queste schiene e queste nuche di uomini e donne. Ho persino la strana sensazione di conoscerle intimamente. Posso dare un nome a quasi tutte le mani che si alzano. Da cinque mesi arranco per i corridoi del Grande Magazzino, mi sono entrate negli occhi. Mi si sono installate dentro. Le conosco come conosco le circa 24.000 vignette degli albi di Tintin, e i loro 24.000 fumetti, memoria omeopatica che suscita l'ammirazione esclamativa di Jérémy e del Piccolo.

D'un tratto, i quattro sbirri dispersi tra la folla mi saltano all'occhio come piattole su un foglio bianco. Eppure nulla li distingue dagli altri maschi dell'assemblea. Sbirri, commessi e colletti bianchi, stessa lotta per il braccialetto d'oro e la piega dei pantaloni. Quel che è diverso è lo sguardo. I quattro guardano gli altri e gli altri guardano patetici davanti a sé, come se dalla tribuna sindacale potesse fuoriuscire la promessa di un domani senza esplosivi. Gli sbirri, dal canto loro, cercano un killer. Hanno lo sguardo psicologo. Le orecchie crescono a vista d'occhio. Sono gli speleologi dell'anima circostante. Chi, fra i presenti, si è rotto al punto di voler far saltare in aria la baracca? Non si chiedono altro.

...E possono farsela ancora per un bel po'...

Il killer non è presente. È una certezza che si inscrive a lettere di fuoco nel mio silenzio intersiderale.

All'improvviso, sgattaiolo piano piano verso una porta laterale, senza nemmeno attirare l'attenzione di Théo. Seguo un corridoio tappezzato di estintori e irto di frecce indicatrici. Invece di seguire la direzione "uscita", taglio a sinistra e spingo la sbarra d'appoggio di una porta, che cede sotto la pressione.

Con tutte le luci accese, il Grande Magazzino riposa nella sua polvere d'oro. Al silenzio assoluto che ho in testa, mi sembra si aggiunga l'enorme silenzio del Grande Magazzino. Scale mobili immobili: è più che immobilità. Banconi straripanti di merce senza alcun commesso dietro: è più che abbandono. Registratori di cassa che non fanno sentire il tintinnio dei campanelli: è più che silenzio. Tutto ciò, visto da un sordo, è un altro mondo. Un mondo dove le bombe esplodono senza lasciare traccia.

— Stai cercando dove mettere la prossima?

La voce profonda, che mi segnala che ho riacquistato l'udito, la conosco bene. Si è appoggiato sui gomiti accanto a me. I nostri sguardi si dirigono instintivamente verso il reparto degli shetland, sotto. E finisco per rispondere:

— Ci sono molti modi di uccidere, Stojil, questo mi scoraggia...

Stojilkovitch, geneticamente serbo, di professione guardia notturna, e di un'età che il sorriso non tenta di rendere rispettabile. La voce più profonda del mondo, Big Ben nella notte londinese, che mi racconta una simpatica storiella: – Ho conosciuto un killer di tedeschi, durante la guerra, a Zagabria. Aveva quindici o sedici anni, una faccia d'angelo, lo chiamavano Kolia. Aveva scoperto una decina di metodi infallibili. Per esempio, passeggiava sottobraccio a un'amica incinta che spingeva una carrozzina, abbatteva un ufficiale all'uscita della Messa, con una pallottola nella nuca, e nascondeva la pistola ancora fumante accanto al bambino addormentato. Cose di questo genere. Ne ha fatti fuori 83. Senza mai correre. Non si è mai fatto prendere.

– Che ne è stato di lui?

– È impazzito. Non era fatto per uccidere e alla fine non poteva più farne a meno. Una forma di isteria omicida, molto frequente nei partigiani, e che ha appassionato l'internazionale psichiatrica del dopoguerra.

Silenzio. Il mio sguardo vaga un istante sulla balaustra di ferraglia dorata che recinge il reparto neonati, laggiù, di fronte a me, al di là del vuoto. Passeggini e carrozzine perdono la loro innocenza.

– Spostiamo la legna, stasera?

"Spostare la legna", nel linguaggio di Stojil, è un invito a giocare a scacchi. Fino a mezzanotte, ogni martedì, è la mia unica infedeltà ai bambini. Spostare la legna, stasera, nel luminoso sonno del Grande Magazzino, sì, è proprio questa la calma di cui ho bisogno.

14.

Ricevo il colpo in pieno fianco. Non faccio in tempo a riprendere fiato che un altro attacco, frontale questa volta, mi manda al tappeto. Non mi resta che raggomitolarmi, raccogliermi al massimo, lasciar piovere, aspettare che finisca pur sapendo che non finirà. E infatti non finisce. Mi viene addosso da ogni parte contemporaneamente. Mi sorge in mente l'immagine dei marinai americani la cui nave era stata affondata in qualche angolo del Pacifico, verso la fine della guerra. Gli uomini in mare si erano ammassati, per fare blocco, e galleggiavano sostenendosi l'un l'altro, come un'immensa pozzanghera umana. Gli squali li avevano attaccati cominciando dai bordi, sgranocchiandoli come una galletta, fino al centro.

È esattamente quello che Stojil mi sta facendo. Ha respinto le mie forze attorno al mio re e mi sta attaccando da ogni lato. Quando comincia a giocare contemporaneamente in diagonale e in perpendicolare vuol dire che è in una gran serata. Meglio così, d'altronde, perché quando non *vede*, Stojil bara! L'unico al mondo capace di barare agli scacchi. Tutti i suoi pezzi scavalcano tre o quattro caselle, la vista dell'avversario si confonde, il mondo vacilla, il morale scende sotto zero, poiché il vero crollo dei valori è una scacchiera sfocata. Stasera, non ha bisogno di barare. *Vede!* Lui vede e io ammiro. Sferra tutti gli attacchi allo scoperto. Un cavallo fa un balzo laterale e l'alfiere emerge da sotto, preciso e inatteso come un pugnale. Il cavallo, ricadendo, pianta anch'esso la sua forchetta nella torta. Se metto in salvo la gamba, mi mangiano il braccio, se ritraggo la testa, muoio soffocato. Non c'è che dire: è lo Stojil delle notti migliori. E io la talpa che sbatte gli occhi sotto i fari del Gufo. Nella mia testa, la piccola biglia che cercava follemente l'uscita si abbandona infine al fascino della sconfitta.

— Sono sette.

Non ho tolto gli occhi dalla scacchiera. Solo un mormorio di basso lontano che gli funge da voce.

Sono sette? Sette cosa? Chi, sono sette?

— Ci sono sei sbirri nel Grande Magazzino, più il nostro fanno sette.

Il nostro, uno spilungone brufoloso dalla bocca umida, i cui ammirativi cenni del capo sottolineano ogni mossa del mio avversario, si irrigidisce impercettibilmente.

— Uno da Sainclair, a spulciare la contabilità, uno su ogni piano, invisibile come un'ombra, e il nostro che fa finta di saper giocare a scacchi.

Bocca umida è troppo stupito per offendersi.

— Come fa a saperlo? Mica li ha visti entrare!

Senza rispondergli, Stojil accende il microfono di Miss Hamilton che mi chiama dieci volte al giorno alla sala di tortura, si avvicina, e ringhia dal profondo delle sue viscere.

— Secondo piano, reparto dischi, spenga la sigaretta per cortesia.

Mi dà l'idea che al suono del contrabbasso celeste, quello di pattuglia al secondo piano si crede in comunicazione con il Padreterno in persona.

Lo conosco, il mio Stojil: il fatto che gli abbiano messo sette sbirri tra le palle lo ferisce profondamente. E poi una società che si mette a fare la guardia ai guardiani non gli dice niente di buono, l'ha già vista una cosa del genere...

Ritorna comunque alla partita, fa attraversare la linea mediana al pedone del suo alfiere e annuncia: — Scacco matto in tre mosse.

Niente da dire. Sono senza fiato. Decesso per asfissia. Bravo, Stojil. Il vincitore si alza, trascina la sua vecchia carcassa fino alla finestrella da operatore di cui Miss Hamilton ha una panoramica su tutto il Grande Magazzino. Timidamente, Bocca Umida torna alla carica.

— Eh? Come faceva a sapere che siamo in sette?

Lo sguardo di Stojil plana solitario, per un lungo istante, sul grande vuoto iridescente.

– Quanti anni hai, piccolo?

– Ventotto, signore.

A giudicare dalla voce incerta, Bocca Umida potrebbe averne diciotto. Ma ottantotto dal cranio da uccellino spennacchiato.

– Cosa faceva tuo padre durante la guerra?

È un dialogo parallelo, mentre i due sguardi planano a squadriglia nel vasto silenzio luminoso.

– Gendarme, signore, a Parigi.

Gli occhi di Stojil si tuffano nel cuore del Grande Magazzino, da cui all'improvviso si staccano per intraprendere una risalita volteggiante che esplora un piano dopo l'altro, prima di rientrare in se stessi, come a fare rapporto.

– Non trovi che ci sia puzza di piedi qui?

Il figlio del gendarme tende le orecchie. Ma il guardiano notturno gli appoggia una mano paterna sulla spalla.

– Non scusarti, sono i miei.

E aggiunge: – Profumo di sentinella.

Allora, lentamente, gravemente, Stojil si mette a raccontare la sua vita da giovane sbirro, a cominciare dai primissimi esordi di seminarista, quando, sentinella dell'anima, innalzava attorno al dogma la duplice muraglia degli Ave e dei Pater. Poi la crisi mistica, la tonaca gettata alle ortiche, l'ingresso nel Partito, la guerra, i tedeschi che sfilano laggiù, in fondo alle valli, quindi gli eserciti di Vlassov (un milione di uomini, tutti trucidati all'arma bianca alla fine delle ostilità) che cavalcano in lontananza, sotto l'occhio immobile della sentinella Stojilkovitch ("guardiana delle porte balcaniche della tua Europa, piccolo"), seguiti ben presto dalle orde liberatrici. Tartari dai denti aguzzi, cavalieri circassi collezionisti di orecchie, russi bianchi collezionisti di orologi; anche a loro sarebbe piaciuto varcare le porte balcaniche, ma dovevano fare i conti con la vigilanza della sentinella Stojilkovitch, avvolta negli effluvi dei suoi sudori pedestri.

– Una sentinella non si guarda mai i piedi, piccolo, mai!

Che bello, il Grande Magazzino prende improvvisamente dimensioni da Gran Canyon. Stojil vigila sul mondo.

– Non ne ho lasciato passare neppure uno! E meno

male, perché se ne avessi lasciato passare uno, piccolo, i tuoi registratori di cassa adesso inghiottirebbero rubli. Senza dare il resto.

Parola mia, visto di profilo, adesso Stojil ha proprio l'aria di un'aquila. Non di primo pelo, certo, ma pur sempre qualcosa, vicino al giovane pollo che lo divora con gli occhi!

– Allora, capisci, quando mi danno da sorvegliare una bomboniera, sono ancora capace di scovare otto scarafaggi.

– Sette, – si scusa Bocca Umida, – siamo solo in sette.

– Otto. L'ottavo è entrato cinque minuti fa e nessuno di voi se ne è accorto.

– Qualcuno è entrato nel Grande Magazzino?

– Dalla porta del quinto piano che dà sul corridoio della mensa. Non chiude a chiave; ho già fatto tre rapporti su questa faccenda.

Bocca Umida non aspetta la fine della risposta, si fionda al microfono e l'informazione esplode nel silenzio del Gran Canyon. Quindi lui ci lascia e come una scorreggia si precipita verso la porta in questione. Gli altri sei sbirri, spuntati dai rispettivi banconi, fanno altrettanto. Restiamo ammirati per qualche secondo, poi Stojil, cingendomi le spalle con un braccio, mi riconduce alla scacchiera.

– Devi portare fuori i pezzi e tenere il centro, Ben, altrimenti ti farai sempre strozzare. Guarda, il tuo cavallo nero e il tuo alfiere bianco non si sono nemmeno mossi.

– Se esco troppo in fretta, forzi gli scambi e mi freghi con i tuoi pedoni, alla jugoslava.

– Devi imparare anche a giocare con i pedoni, in fondo sono loro la chiave di tutto.

Siamo a questo punto del nostro corso di strategia quando la porta della cabina si spalanca ed entra Julius in persona, Julius scodinzolante, allegro, tutto contento di ritrovare il padrone come ogni martedì alla stessa ora della notte. Non gli ho mai negato questo piacere. Siamo ancora presi dalla gioia di ritrovarci quando la porta si apre una seconda volta, bruscamente: – Senta, guardiano, non ha mica...

Lo sbirro, che interrompe la domanda scorgendo Julius, è enorme, tutto pettorali, l'attaccatura dei capelli rasente le sopracciglia, foltissime e nere: un puro prodotto degli studios Mack Sennett.

– Santo Cielo, cosa ci fa qui questo cagnaccio?

– È il mio cane, dico.

Ma la Legge non vuole farci godere ulteriormente della sorpresa. Lui preferisce il terrore: roteare gli occhi e digrignare i denti.

– Ma che razza di bordello è questo, perdio, dove i guardiani giocano a carte e chiunque può andarsene in giro di notte con il proprio cane?

Improvviso una spiegazione per la gloria del nobile gioco degli scacchi e in difesa delle vecchie abitudini, ma quello taglia corto con l'ascia: – Cosa ci fa lei qui?

Dichiaro che Bocca Umida me ne aveva dato il permesso.

– Si tolga dai piedi.

Ecco, l'autorità pura e semplice. E visto che io e Julius eravamo sul punto di farlo, ce ne andiamo.

Ritorno a sei zampe al Père Lachaise.

– Da che parte esce?

Comunico l'itinerario: la porta scassata del corridoio.

– Col cazzo! Dalla porta di servizio, come tutti!

Inversione di rotta. Io e Julius scendiamo la scala mobile che in cinque rivoluzioni ci vomiterà al reparto giocattoli. Alle mie spalle, sento l'umanista che sbraita: – Pasquier, accompagna quella macchietta col sacco di pulci!

E ancora: – Come puzza quel cagnaccio!

Pasquier, che mi è già alle calcagna, mi sussurra all'orecchio: – Mi spiace, davvero...

Riconosco la voce infantile di Bocca Umida.

– La gerarchia, vecchio mio. È scusato.

Davanti a me, Julius affronta con prudenza i gradini della scala mobile, di un'altezza per lui insolita. Il senerone oscilla tra le pareti di formica. Di che far sognare più di un pastore. Felice di ritrovare finalmente la terraferma del pianterreno, si volta, e saltellando sulle quattro zampe mi offre una piccola danza giubilatoria. È vero che puzza. Bisognerà che lo lavi.

La cosa succede quando arriviamo al reparto giocattoli. La cosa che resterà fino a nuovo ordine il ricordo più penoso della mia vita. Il cane, che ha ripreso un'andatura da re, all'improvviso si immobilizza. Manca poco che io e Bocca Umida non ci rompiamo la testa finendogli addosso. Sotto l'urto, Julius perde l'equilibrio e cade sul fianco, rigido come un cavalluccio di legno. Strabuzza gli occhi. Una spessa bava cola a fiotti dai denti neri che mostrano un ghigno apocalittico. La lingua è talmente attorcigliata in gola che qualsiasi respirazione risulta impossibile. Gonfio da scoppiare, il mio povero Julius. Sì, il cadavere di un cavallo, tempo dopo la battaglia. Mi getto su di lui e gli ficco un braccio nella gola gonfia, tirandogli la lingua come se volessi strappargliela. Alla fine questa cede, si distende con uno scricchiolio, e improvvisamente gli occhi del mio cane ritrovano il loro posto. Ma l'espressione che vi scorgo mi fa fare un balzo all'indietro. È in quel preciso istante che lui comincia a urlare, un urlo lontano di sirena, che cresce, e che, amplificandosi, riempie tutto il volume del Grande Magazzino di un terrore da risvegliare i morti. Tutti i terrori del mondo in un unico interminabile urlo di cane pazzo.

– Ma lo faccia tacere, Santo Dio!

È Bocca Umida adesso a perdere la testa. Senza rendermi subito conto di quello che sta facendo, vedo che si slaccia il bottone della giacca, fa saltare la striscia di cuoio della fondina, impugna la sua arma e mira alla testa del mio cane.

Il mio piede parte da solo a colpire il polso dello sbirro e l'arma si perde da qualche parte nel Grande Magazzino. L'altro resta con il braccio teso, come se avesse ancora la pistola in mano. Mano che infine ricade, mollemente. Ne approfitto per prendere in braccio il mio cane.

È leggero!

Leggero come se fosse vuoto!

E continua a urlare, con quello sguardo folle, e quel ghigno che sembra divorare il mondo.

– Ah, perché è pure epilettico...

Vicinissima a me, è la voce del cattivo, che ha sceso le scale di corsa, e se la ride.

15

Il Grande Magazzino sembra riempirsi più in fretta il mattino seguente. Eppure, i piedipiatti di guardia a tutte le entrate fanno scrupolosamente il loro lavoro. Frugano in tutte le borse, le tasche profonde, i rigonfiamenti sospetti. Alcuni corpi sono persino palpati, petto, cavallo e voltati, schiena, tasca dietro, e rivoltati, e finalmente: – Entri pure.

Forse forse tutto questo alla clientela piace. Una falsa apparenza di pericolo che stuzzica il prurito consumatorio. Il desiderio, inoltre, di vedere che aspetto può avere un negozio dove esplodono delle bombe. Il reparto degli shetland è preso d'assalto. Ma gli sguardi hanno un bel trascinarsi come strofinacci, niente, neanche la minima traccia di sangue, neppure uno o due capelli nella lana, un bel niente. Non è successo niente. Niente di niente. Lo stesso arrangiamento melenso di *Cantiamo sotto la pioggia* impiastra gli stessi reparti dove rimangono invischiati gli stessi clienti, presi per il succhiatoio. Poi quattro brevi note che richiamano il Westminster della mia infanzia, e la nube di Miss Hamilton: – Il signor Malaussène è desiderato all'Ufficio Reclami.

La mia giornata comincia.

La ragazza, dalla voce di placebo, l'ho incontrata all'inizio della mia brillante carriera, alla caffetteria. Piccola, tonda e rosea. Non riuscivo a immaginarla che con un sedere da bambola. Tanto più che usava dare alle palpebre un movimento da bilanciere che le chiudeva gli occhi, ogni volta che gettava indietro la graziosa testolina. Aspirava con una cannuccia un latte rosato, probabil-

mente il segreto della sua carnagione di petalo translucido. Tutto era cominciato bene tra noi. Non avrebbe dovuto finire granché male. Ma mi ha chiesto come mi
chiamavo.

— Benjamin, – ho risposto.

— È carino, come nome.

Per quanto bizzarro possa sembrare, aveva la stessa
voce dell'altoparlante: una nube d'etere e, pensandoci, la
stessa carnagione della sua voce. Mi ha fatto un sorrisino
dolce: – E l'altro, quello vero, il cognome?

Lecyfre che passava dietro di lei ha buttato lì il mio
cognome: – Malaussène.

La ragazza ha sgranato gli occhi.

— Ah! È lei?

Sì, ero io già allora.

— Mi scusi, bisogna che torni al microfono.

Non ha nemmeno finito il suo lattuccio.

Già quell'odore di capro...

È appunto di lavoro che stiamo per parlare, nella torretta di Lehmann. Sainclair in persona mi sta aspettando, seduto alla scrivania del mio diretto superiore, che
sta in piedi accanto a lui, talloni a squadra, petto in fuori, mani incrociate dietro la schiena, sguardo franco.
Nessun cliente. Neanche una sedia per me. Tutto un
neon. E il tenero sguardo di Sainclair, il nostro capo.

— Signor Malaussène, ho incontrato per caso il commissario Rabdomant in casa di comuni amici e sa cosa
mi ha detto?

Sottolineo "caso", "comuni amici" e penso: tu menti,
ti ha semplicemente telefonato, e rispondo: – Ma guardi
un po', non ho ricevuto neanche un biglietto d'invito.

— Eppure, lei era al centro della nostra conversazione, signor Malaussène.

— Ah! Tutto si spiega, – dico.

— Cosa?

— Il sogno che ho fatto stanotte, ruttavo Moët et
Chandon.

— Stanotte lei non sognava, signor Malaussène, ma
turbava il buon andamento dell'azienda impedendo alla
polizia e al guardiano notturno di svolgere il lavoro di
sorveglianza.

(Le notizie corrono come gli odori.)

Lehmann aggrotta le sopracciglia, Sainclair ostenta un'aria francamente dispiaciuta.

– La sua situazione non è affatto brillante, signor Malaussène.

(È comunque più rosea di quella del mio cane. La guardia veterinaria ha spezzato tre aghi nella sua coscia di cemento prima di riuscire a fargli l'iniezione. Pare che esistano, i cani epilettici, e che questa sera starà meglio. Stamattina faceva ancora le linguacce al mondo, divorandolo con gli occhi. Stessa rigidezza. Stessa morte.)

– Cosa le è preso di andare e raccontare questa storia del capro espiatorio alla polizia?

Eccoci. È a proposito di questo che Rabdomant ha telefonato.

– Mi sono limitato a rispondere alle domande.

La scrivania è assolutamente liscia, davanti a Sainclair. Con il rovescio di un mignolo lui toglie un inesistente granello di polvere.

– Eppure eravamo d'accordo sul prezzo della sua discrezione, signor Malaussène.

Il suo stile mi rompe e glielo dico. Gli dico anche che le condizioni sono parecchio cambiate. Sul suo Grande Magazzino piovono bombe e la polizia cerca il bombarolo. Si passano al vaglio i motivi di scontento di tutti i dipendenti. E quello che ha la reputazione peggiore sono io, visto che mi faccio strapazzare dal mattino alla sera. Non mi sembra quindi tanto mostruoso voler spiegare chiaramente la mia situazione al super-sbirro, perché non creda che passi le notti a seminare bombe nel negozio per vendicarmi delle mie sventure diurne. (Dico "sventure diurne" in stile Sainclair.)

– E invece questa è proprio l'idea che lei gli ha messo in testa, signor Malaussène.

Nessuna soddisfazione nella voce di Sainclair. Ha l'aria francamente dispiaciuta. Si spiega: – Non ho nemmeno dovuto smentirla, il commissario Rabdomant non ha creduto una parola di quel che lei gli ha raccontato. Come avrebbe potuto crederle? La funzione detta di "Controllo Tecnico" esiste in tutte le aziende simili alla nostra. E, tenuto conto della sua natura, è perfettamente normale che le vengano trasmessi i reclami dei clienti.

Ascolto e credo di sognare. La funzione, qui, è un bluff, lo sa anche lui. Gli dico che lo sa.

– Ma è naturale, signor Malaussène! Visto il numero di articoli che escono da un grande magazzino nell'arco di una giornata, come vuole che il Controllo Tecnico possa controllare alcunché? Se moltiplicassimo i controllori, come fanno quasi tutti gli ipermercati, la percentuale dei reclami rimarrebbe sensibilmente invariata. Mi è sembrato pertanto più redditizio dare a questa mansione un carattere, come dire, di "pubbliche relazioni", ruolo che lei svolge egregiamente, devo dire, e presenta il duplice vantaggio di limitare il numero dei posti lavoro e di risolvere la maggior parte delle controversie in via amichevole.

È questa infatti la sua gran teoria, che mi ha esposto in lungo e in largo il giorno dell'assunzione. Perché mai ho accettato di stare al gioco? Per scherzo? (molto divertente...) Perché mia madre è una fuggitrice e la disoccupazione non è consona al tutore di una famiglia numerosa? (ci avviciniamo...) Mistero della mia natura profonda? (mah...) In ogni caso, ho accettato di puzzare di capro, ed è un odore che dà fastidio.

Sainclair deve leggermi nel pensiero, perché mentre continuo a starmene muto, mi propone un indovinello: – Signor Malaussène, sa cosa diceva Clemenceau del proprio capo di gabinetto?

(Me ne strasbatto.)

– Diceva: "Quando io scoreggio è lui a puzzare."

La trippa di Lehmann si agita convulsamente. E Sainclair aggiunge: – Tante persone perbene sono capi di gabinetto, signor Malaussène, c'è persino chi lotta con ogni mezzo per diventarlo!

Non sono in grado di descrivere Sainclair. È bello, fine, dolce. È arrivato, lo si direbbe un nuovo filosofo, un nuovo romantico, un nuovo *after-shave*. È nuovo eppure allevato nella tradizione ruspante. Mi infastidisce.

– Non si faccia passar per paranoico agli occhi della polizia, signor Malaussène. Immagini che vogliano verificare la faccenda del capro espiatorio interrogando i suoi colleghi, cosa scoprirebbe il commissario Rabdomant? Un responsabile del Controllo Tecnico che non controlla niente. E di conseguenza non svolge il proprio compito. Per cui viene sempre chiamato all'Ufficio Reclami. Ecco le conclusioni a cui approderebbe inevitabilmente il commissario Rabdomant. E ammetterà che sarebbe il colmo, no? Poiché al contrario, il lavoro, lei lo svolge benissimo!

A questo punto (mi sia concessa l'originalità dell'espressione) resto senza parole. Ciò consente a Sainclair di riattaccare. – Ho avuto difficoltà immani per convincere il commissario Rabdomant che la sua era una battuta. Un consiglio, Malaussène, non scherzi col fuoco.

Noto la soppressione del "signore", e poi, vai a sapere perché, penso al Piccolo e ai suoi Orchi Natale, penso alla nuova solitudine di Louna, penso alla corsa-fuga di mia madre, penso al cane improvvisamente inamidato, il morale mi finisce sotto zero, una ferita d'amore, uno sfinimento, non so cosa, e rispondo: – Non giocherò più a niente in casa sua, Sainclair, me ne vado.

Scuote tristemente il capo.

– La polizia ha pensato anche a questo, si figuri. Nessun movimento di personale è autorizzato fino alla fine dell'inchiesta, né licenziamenti, né assunzioni. Sono spiacente, avrei accettato volentieri le sue dimissioni.

– Sarà ancora più dispiaciuto quando mi piscerò addosso davanti ai clienti, quando mi rotolerò per terra con la bava alla bocca o quando salterò al collo di quel sacco di medaglie per strappargli le tonsille con i denti.

Sainclair fa istintivamente il gesto di trattenere Lehmann che non ha più molta voglia di ridere.

– Non sarebbe una cattiva idea, Malaussène, al Grande Magazzino occorre proprio un colpevole di questi tempi. Se vuole calarsi nei panni di un dinamitardo folle, faccia pure.

Il colloquio è chiuso. È proprio bello, Sainclair. È giovane, è efficiente, è vecchio come il mondo. Lascio la stanza prima di lui. Quando ho già la mano sulla maniglia della porta, mi volto per fargli il mio indovinello: – Mi dica, Sainclair, in quale Tintin un personaggio esce da una stanza dichiarando, a proposito di un altro personaggio: "me la pagherà cara quel vecchio gufo"?

Sainclair mi risponde con un bel sorriso fanciullesco: – Il professor Müller in *Il paese dell'oro nero*.

Spazzerò via quel sorriso.

16

A casa, trovo Clara al capezzale di Julius. Ha bigiato la scuola per stargli vicino tutto il giorno.

— Dovrai farmi una giustificazione.

Julius è uguale a come l'ho lasciato, disteso sul fianco, le zampe parallele, rigido come una damigiana. Eppure il cuore batte. Rimbomba in una gabbia vuota. Un cuore innestato da Edgar Allan Poe.

— Gli hai dato da bere?

— Non tiene niente.

Accarezzo il cane. Ha il pelo ispido. Sembra esser passato tra le mani di un impagliatore pazzo.

— Ben?

Clara mi afferra il braccio, mi fa lentamente ruotare su me stesso e appoggia la testa sul mio petto.

— Ben, Thérèse è venuta su a vederlo a mezzogiorno e ha avuto una vera e propria crisi di nervi. Si rotolava per terra urlando che lui vedeva l'inferno. Ho dovuto far venire Laurent, che le ha fatto un'iniezione. Adesso è di sotto che si sta riposando.

La mia Clara.... bel programmino per una bigiata!

— E i piccoli, l'hanno visto?

No. Ha chiesto ai bambini di pranzare in mensa e di rimanere al doposcuola. Si stringe un po' più forte contro di me. Le libero delicatamente l'orecchio, conservando per un attimo il calore dei suoi capelli sul dorso della mano. Le chiedo: — E tu, non hai avuto paura?

— All'inizio sì, allora l'ho fotografato.

La mia diletta, la mia osservatrice, che anestetizza l'orrore a colpi di otturatore! Adesso la tengo in punta di braccio. Non ho mai visto uno sguardo così calmo.

– Un giorno le venderai, le tue foto, e toccherà a te mandare avanti la baracca.

Ora è lei a guardarmi.

– Ben, se sei stufo di questo lavoro, non sentirti obbligato a tenerlo.

(Dio Mio, le donne...)

Di sotto, Thérèse è sdraiata sulla schiena con lo sguardo fisso al soffitto. Mi siedo al suo capezzale. È sempre stato un problema per me coccolare Thérèse. Si direbbe che la minima carezza la fulmini. Allora mi muovo con cautela. Depongo un bacio sulla sua fronte gelida, e dico, con la voce più dolce possibile: – Non raccontarti delle palle, Thérèse, l'epilessia è una malattia comune, benigna, che colpisce persone come si deve, guarda Dostoevskij...

Niente da fare. Le libero una mano che stringe un lenzuolo ingiallito di sudore asciugato, bacio una dopo l'altra le dita che si stendono, e, in mancanza di meglio, continuo sullo stesso tema: – Il Principe Myskin, l'uomo troppo buono, era epilettico! Dicono che si provi uno straordinario benessere nel momento della crisi. Julius è un cane troppo buono, Thérèse, ed è anche un gaudente...

Parlarle di godimento è un po' fuori luogo, ma in ogni caso la risveglia. La sua testa cade finalmente dalla mia parte.

– Ben?

– Sì, bella mia?

– I due morti del Grande Magazzino...

(Oh! merda...)

– Dovevano morire così, Ben.

(Ci risiamo.)

– Sono nati il 25 aprile 1918, è sul giornale. Erano gemelli.

– Thérèse...

– Ascoltami, anche se non ci credi. Quel giorno Saturno era in congiunzione con Nettuno, e tutti e due in quadratura col sole.

– Thérèse, angelo mio, non è che io non ci creda, ma non ci capisco niente, ti prego, ho una dura giornata di lavoro alle spalle.

Niente da fare.

– La congiunzione indica spiriti profondamente malvagi, inclini a pratiche equivoche o illecite.

("Pratiche equivoche o illecite", non è in stile Sainclair, è stile Thérèse.)

– Sì, Thérèse, sì...

– La quadratura col sole indica la sottomissione dell'individuo a forze malvagie.

Meno male che Jérémy non è qui!

– E la presenza del sole nell'ottava casa è un indice di morte violenta.

Ora è seduta sul bordo del letto. Il tono della voce non ha nulla di esaltato. La serenità erudita di una relazioncina al Collège de France.

– Thérèse, bisogna che vada a fare la spesa.

– Un attimo e ho finito. La morte interviene per il transito di Urano il distruttore sul sole radicale.

– E allora? (Detto con un tono da Jérémy che mi è scappato.)

– Ben! Questo si verificava il 2 febbraio, giorno in cui la bomba li ha uccisi nel Grande Magazzino.

Come Volevasi Dimostrare. Ecco, si è completamente ripresa. Crisi di nervi? Mai. Si alza e comincia a mettere in ordine l'ex-bottega che non è stata riordinata da stamattina. Sta cominciando a fare i letti dei piccoli quando mi viene un'idea.

– Thérèse?

– Sì, Benjamin?

Sotto le sue mani, i guanciali ritrovano il dolce volume che invita al sonno.

– Per quanto riguarda la storia di Julius, i bambini non devono saperlo. È troppo brutto da vedere. Allora facciamo che sia stato investito da una macchina mentre mi veniva a prendere ieri sera e trasportato in una clinica per cani. "Non è in pericolo di vita", d'accordo?

– D'accordo.

– E anche tu, non venire più a vederlo.

– D'accordo, Ben, d'accordo.

Quando vado in giro per Belleville, a qualunque ora della giornata, ho sempre la sensazione di essermi perso in uno degli album di Clara. L'ha fotografato da ogni angolo, questo fottuto quartiere.

Dalle vecchie facciate ai giovani spacciatori, passando per le montagne di datteri e di peperoni, ha catturato ogni cosa. È come se vagassi già in piena nostalgia. (Quante ore di scuola bigiate per una simile impresa?) Ha persino registrato la voce del muezzin di fronte ad Amar. Stasera, mentre il suddetto muezzin svolge una sura lunga come il Nilo, davanti all'ingresso del ristorante una banda di arabi e senegalesi gioca forte. I dadi schioccano nelle teste e sprizzano su una scatola di cartone capovolta. L'atmosfera mi sembra un po' più tesa del solito. E infatti ho appena finito di fare questa constatazione che una lama spunta da un pugno teso, mentre l'altra mano spazza via la posta. La lama vibra contro la trippa di un negro gigantesco, che diventa grigio, come nei libri. Ma Hadouch (che masticava tranquillo un pezzo di liquirizia appoggiato al muro del ristorante), Hadouch ha fatto un balzo. La sua mano si abbatte di taglio sul polso dell'arabo, che lascia andare il coltello con un urlo. Se non gli ha rotto il polso, è perché era d'acciaio temperato. Hadouch ficca la mano nella tasca dell'arabo e ne estrae l'oggetto della lite, una moneta da cinque franchi, che tende al senegalese. Poi, rivolto a me che mi sono avvicinato: – Ti rendi conto Ben, far fuori un negro per il prezzo di un bianchino. Peggio di così.

E, voltandosi verso l'uomo del coltello: – Tu domani torni al paese.

– No, Hadouch!

Un vero e proprio grido di disperazione. Più forte del dolore al polso.

– Domani. Prepara la tua roba.

Dopo che Amar mi ha chiesto notizie dei miei fino alla settima generazione e io gli ho reso la pariglia, esco di nuovo dal ristorante, portando nella sportina cinque porzioni di cuscus e cinque paia di spiedini.

– E com'è la clinica?

I piccoli, lustri come monete nuove nei pigiami freschi di bucato, sono lanciati nella corsa ai dettagli. E le due grandi, nelle camicie da notte profumate, mi ascoltano come se anche loro volessero crederci, alla storia della clinica.

– Stupenda. Tutto quello che ci vuole per un cane di

lusso. La TV in ogni stanza con programma apposta a seconda del carattere.

– Ma dai...

– Ve lo giuro.

– E qual è il programma di Julius?

– Tex Avery.

Jérémy quasi cade dal letto.

– Andiamo a trovarlo, eh, andiamo a trovarlo domani?

– Impossibile, ai bambini è vietato.

– Perché?

– Perché potrebbero contaminare i cani.

Ecco. La serata trascorre. Si torna naturalmente al trucido feuilleton del Grande Magazzino dove finzione e realtà copulano allegramente. Dal lato finzione, Bas Basetta e Jib la Iena conducono l'indagine nelle fogne di Parigi (grazie, vecchio Sue), dovessero mai sbucare nel cuore del Grande Magazzino (grazie Gaston Leroux). Strada facendo, incontrano un pitone nevrastenico e lo adottano immediatamente per colmare la propria solitudine di homo urbanus (grazie Ajar). A questo punto, interruzione pensosa di Jérémy.

– Di' un po', Ben, Stojil è tosto come guardiano notturno, no?

– Certo.

– Allora lì non si possono introdurre bombe né di giorno né di notte, no?

– Mi pare difficile.

– Neanche dalle fogne.

– Neanche.

Clara si è alzata per mettere a letto il Piccolo che si è addormentato, seduto dritto sul sederone, gli occhiali sul naso. Thérèse stenografa, serissima, come se fosse in Parlamento.

– Io, – dice Jérémy, – saprei come fare.

– E come?

– Vedrai.

Lieve inquietudine.

17

Mi sono alzato cinque o sei volte la notte per sentire il respiro di Julius. Respira, se questo si può chiamare respirare. Ho piuttosto l'impressione che l'aria penetri nel suo corpo e ne esca grazie a un movimento di ventilazione indipendente dalla sua volontà. Respira suo malgrado. Per non parlare dell'odore, quando esce dalle sue fauci spalancate di doccione allucinato...

E dire che è vivo!

Ho combattuto la disperazione con qualche pensiero faceto. Mi sono detto, per esempio, che avrei potuto approfittarne per fargli un buon bagno, che non rischiava di squagliarsela trascinando montagne di schiuma in tutto il palazzo. Non mi ha fatto ridere. Allora ho tentato di riaddormentarmi. Devo esserci riuscito, perché stamattina mi sono risvegliato. Di un umore da cani, nonostante sia il mio giorno di riposo settimanale.

Ho subito chiamato Louna.

— Sei tu, Ben?

— Sono io, passami Laurent.

Singhiozzi all'altro capo del filo. Il suo Laurent non è rientrato stanotte.

— Oh! non tornerà più, Ben, non tornerà più, me lo sento!

La crisi. Invece io so che se Laurent non è con lei, vuol dire che è all'ospedale. Non è il caso di perdere la testa. Le uniche volte che l'ha lasciata è stato per i suoi malati.

— Dammi il numero dell'ospedale.

— Oh! Ben, ti supplico, sii gentile con lui, è così infelice!

– Ma io sono *gentile*! Sono sempre stato *gentile*! Con chi, non sono *gentile*, porca merda?

All'ospedale, stessa storia. Appena me lo passano, il dottor Laurent Bourdin (esclusiva passione di mia sorella da sette anni) si lancia in una lunga spiegazione delle sue angosce di fronte alla paternità.

– Aspettavo la tua telefonata, Ben, sapevo che mi avresti chiamato, ma scusami, questo non cambia niente, lei non avrebbe dovuto combinarmi una cosa simile, farsi togliere la spirale di nascosto, non ho mai voluto figli né mai ne vorrò, lei lo sapeva, e se anche ne avessi voluti, credo che avrei preferito lei, da sola, per tutta la vita, capisci cosa voglio dire, e poi per fare dei marmocchi bisogna amare se stessi, e io non mi amo, per nulla, non mi sono mai andato a genio, forse è per questo che sono medico, Ben, cerca di capirmi, voglio che lei mi ami, ma non voglio che mi *riproduca*, mi spiego, no? Ascolta, Ben, in ogni caso, non metterti in testa che abbia voluto offendere la famiglia...

("Offendere la famiglia", Santo Cielo, mi parla come se fossi il Padrino in persona!)

– ...ma che lei scelga o meno di abortire, tra noi è finita comunque, adesso...

Aspetto che sia senza fiato per fargli la mia domanda:
– Laurent, quanto può durare una crisi di epilessia?

Immediatamente, il professionista che è in lui si inserisce sulla linea.

– Parli di Julius? Qualche ora.

– Ormai sono già un giorno e due intere notti.

Silenzio. Messa in moto dei suoi ingranaggi diagnostici.

– Può essere il tetano. Avete fatto del rumore attorno a lui?

– No, a parte la crisi di nervi di Thérèse, nessun rumore.

– Prova un po' a sbattere la porta di camera tua, se ha il tetano, Julius salterà fino al soffitto.

(Sottile procedimento di indagine.) Sbatto la porta della camera.

Niente. Julius resta di marmo.

– Allora, non so, – conclude il dottor Bourdin.

("Non so"... medico onesto.)

– Laurent, quanto può reggere un organismo senza mangiare né bere?

— Dipende dalla natura della malattia, ma in ogni caso, dopo qualche giorno tutta una serie di cose cominciano a danneggiarsi seriamente.

Adesso sono io a riflettere. Quel che mi vien da dire è semplice come la disperazione.

— Voglio che tu mi salvi il cane.

— Farò il possibile, Ben.

Mi faccio un caffè. Quando ho finito di berlo, immagino i fondi che mi colano lungo le pareti interne del cranio e cerco di leggere il destino di Julius nei meandri di quella colata bruna. Ma non sono Thérèse, non ho confidenza con gli astri, i fondi di caffè possono tutt'al più farmi da concime per il nero geranio della depressione. La quale depressione mi porta a riconsiderare il sorriso raggiante di Sainclair, e la mia promessa di spazzare via quella sicurezza dai denti bianchi.

Qualcosa si può fare, riguardo alla faccenda. Io sono un po' come Julius: sono stato cacciato da molti posti nella mia vita, ma nessuno ha mai potuto costringermi a restare dove non volevo. Occuparmi di Sainclair, dunque! Costringerlo a sbattermi fuori dal Grande Magazzino. Ecco, obbligarlo a licenziarmi! (Ecco uno con cui non sarò "gentile".) Mi eviterà di pensare ad altro. Un abbozzo di idea comincia a germogliare mentre infilo una gamba dei pantaloni. Si delinea meglio con l'altra gamba. È quasi l'idea del secolo quando mi abbottono la camicia. Ed esulto a tal punto allacciandomi le scarpe che quasi se ne andrebbero da sole a mettere in atto il geniale progetto. Scendo le scale come un tornado bianco, passo di volata dai piccoli a prendere in prestito alcune foto fatte da Clara, esco e mi infilo nella metropolitana. È un febbraio invernale più che mai, con passeggeri svogliati più che mai. Khomeini usa i neonati come carne da cannone, l'Armata Rossa difende fino all'ultimo i fratellini afghani, la Polonia cambia pogrom, Pinochet fa stragi (Pinosceno), Reagan passa lo straccio, la Destra accusa la Sinistra, la Sinistra accusa la Crisi, un ubriacone, prove alla mano, accusa la merda, Caroline di Monaco non vuole confessare di essere incinta, il Segretario generale del partito comunista gonfia il palloncino dei sondaggi e ottiene l'indice del tasso alcolico, ma io, Ubu Re, "cittadella vivente", sono talmente su di giri che non vedo passare le fermate che mi separano da *Actuel*.

Ma la febbre creativa si spegne quando mi trovo davanti alla porta del giornale: non conosco il vero nome di zia Julia. Se la descrivo rischio di far venire un'erezione a tutta la redazione. "Sono timido", penso facendo il giro dell'isolato e cercando sul bordo del marciapiede un oggetto che credo di poter riconoscere a prima vista. La riconosco. La 4 cavalli giallo limone di zia Julia è parcheggiata su uno spazio riservato alle consegne, con due multe sul parabrezza d'epoca. Un piccolo bottegaio mangia-arabi minaccia di chiamare i vigili. Gli suggerisco invece una telefonata ai ribelli dorati di *Actuel* facendogli capire, con una strizzatina d'occhio disgustosa, che non se ne pentirà quando vedrà la carrozzeria della proprietaria (sic). Quindi apro la portiera, mi piazzo e aspetto. Ma solo per poco. Zia Julia sbarca dopo un minuto. Nonostante il freddo, ha un corpo! Il bottegaio, che stava già per sbraitare, si aggrappa alle cassette della frutta, gli insulti congelati in gola. Zia Julia si infila veloce dietro al volante e, senza neppure guardarmi, dice: – Smamma.

– Sono appena arrivato.

Avvia furiosamente il motore, mentre dichiara che sono un bel porco, ha ricevuto al giornale la visita degli sbirri che le hanno fatto domande del cazzo sull'esplosione, e le hanno poi chiesto se non si vergognava di fregare maglioni in un paese con milioni di disoccupati, quando lei ogni mese riceve lo stipendio e si fa i coglioni d'oro ("se così posso dire", aveva aggiunto l'ispettore). Tutti i colleghi erano morti dalle risate, lei dalla rabbia, e ben decisa a venire a tranciarmi i miei, di coglioni.

All'improvviso, nel bel mezzo del boulevard des Italiens, in un concerto di clacson, frena e si volta verso di me: – Sinceramente, Malaussène (lei lo conosce il mio nome), che razza di tipo sei? Mi salvi dal mastino aziendale, mi fai salire da te senza scoparmi, e poi mi dai in pasto ai piedipiatti! Ma che razza di tipo sei? (Penso al mio amico Cazeneuve, ma me lo tengo per me.)

– Sono anche peggio, zia Julia.

– Smettila di chiamarmi zia Julia e scendi dalla macchina.

– Non prima di averti fatto una proposta.

– Niente affatto, ti ho già visto abbastanza!

– Ho un argomento per un articolo.

– Ancora un pezzo sulle bombe del Grande Magazzino? Ci sono cinquanta dei vostri che ogni giorno sbarcano al giornale per svelarci il mistero. Per cosa ci avete preso? Per *Paris Match*?

Clacson da tutte le parti. Julia ingrana e passa a razzo sotto il naso di un vigile avvinazzato che prende nota del numero di targa leccandosi le labbra violacee.

– Le bombe non c'entrano. Dammi retta cinque minuti e se poi non ti interessa, non sentirai più parlare di me fino alla fine della tua esistenza palpitante.

– Due minuti!

Vada per due minuti. Bastano ampiamente per spiegarle il mio ruolo nel Grande Magazzino e per lasciarle intravvedere il bel servizio fotografico che potrebbe venir fuori nell'illustre mensile per cui lavora. Man mano che mi spiego, lei rallenta, e finalmente parcheggia nel comodo spazio di un passaggio pedonale, dove si arresta in totale illegalità.

Quindi si volta lentamente verso di me.

– Capro espiatorio, eh?

La sua voce ha ritrovato una raucedine da savana che mi fa avvampare.

– Sì, è questo il mio lavoro.

– Ma non è un lavoro, Malo! (ho sempre odiato sentirmi chiamare Malo) è un vero squarcio di mito! Il mito fondatore di ogni civiltà! Te ne rendi conto?

(Ma guarda un po', eccone un'altra, zia Julia che si infiamma.)

– Per parlare solo del giudaismo, per esempio, o del cristianesimo, il suo fratellino perbene! Malo, ti sei mai chiesto come faceva Jahvé, il Sublime Paranoico, per far funzionare le sue innumerevoli creature? Indicava loro il Capro Espiatorio, in ogni fottuta pagina del suo fottuto Testamento, tesoro mio!

(Adesso sono il suo tesoro. Che te ne pare, Sainclair, tutta questa passione farà venir fuori un bell'articolo, no?)

– E i cattolici, e i protestanti, come credi che abbiano fatto per reggere tanto a lungo e riempire le casseforti? Designando il Capro, ancora e ancora!

(Parola mia, la ragazza ha una teoria cosmica per ogni microcircostanza della vita.)

– E gli stalinisti, dall'altro lato, con i processi esemplari? E noi, che crediamo che non si debba credere in niente, come pensi che riusciamo a non sentirci delle merde? Annusando l'odore di capro del vicino, Malo (di nuovo Malo!) e se non ci fosse il vicino ci si taglierebbe in due per farci un capro tutto nostro, portatile, che puzzerebbe al posto nostro!

Sorvolo sul fatto che mi chiama Malo per ammirarne l'entusiasmo. È la stessa zia Julia della sera del nostro incontro. L'occhio e la criniera fiammeggianti. Ma, visti i miei precedenti, mi trattengo. Chiedo soltanto: – Allora, il servizio, lo vuoi o no?

– Se lo voglio? Non avrei mai sognato di meglio nelle mie cacce più folli! Il Commercio e il suo Capro, che meraviglia!

(La senti, Sainclair?)

Bene, lo vuole. Ora è il momento di giocarsela bene, e allora mormoro: – Pongo una condizione.

Lei subito si ritrae.

– Mi piace l'argomento, ma non mi piacciono le condizioni. Se no lavorerei al *Figaro*.

– Impongo il fotografo.

– Che fotografo?

– Una donna. Ha fatto questa.

Mostro la foto che Clara ha scattato la sera delle mie prodezze. Vi si legge chiaramente, sul viso di Julia, il furore stupefatto provocato dalla domanda di Thérèse a proposito del calibro dei suoi seni. Quanto a me, sono l'immagine stessa dell'angustia.

18

Zia Julia trova la foto niente male. Gliela do, insieme al negativo. Poi ci sono le foto del Bois, Théo che serve il vatapà ai travestiti brasiliani, la nudità coperta di lustrini dei corpi nella notte, attraverso le lingue di vapore che si levano dai piatti. La gioia nei volti dalle mascelle sporgenti, sempre un mezzo gradino al di sopra del giubilo eterosessuale.

– Come ha fatto a fotografare i viados al lavoro? – chiede Julia, – sono quasi tutti clandestini.

– Sa farsi amare dal soggetto, Julia, è una specie di angelo.

Adesso la macchina scivola lenta attraverso Parigi, come nel cuore della Beauce. Julia ha voluto che le parlassi di tutto, di me, del Grande Magazzino, della famiglia, e, per dio, gliene parlo. Gliene parlo ancora al ristorante dove mi invita a spese della redazione. Le parlo di mia madre, sintonizzata altrove, di Thérèse, al di là di tutto, del Piccolo e dei suoi Orchi Natale, di Jérémy, quanto di più terreno, del piccolo universo che sfamo prendendo su di me il peccato originale della società mercantile. E quando arrivo a Louna, che si chiede se terrà o meno il frutto del suo unico amore, zia Julia avvolge la sua lunga mano bruna attorno alla mia: – A proposito di far saltare o meno, ti va di accompagnarmi, oggi pomeriggio? Ho da fare un servizio sul tema.

Il salone delle conferenze in cui ci introduce la tessera stampa di zia Julia ha qualcosa del palazzo dell'Eliseo quanto alle dimensioni e qualcosa del *Train Bleu*, il ristorante per miliardari della Gare de Lyon, per l'atmosfera.

Una bruttezza che vince i secoli e attira valuta pregiata. La sala è quasi colma. Si sente il fresco mormorio della biancheria di lusso. Ci intrufoliamo fino ai posti a sedere riservati alla stampa, ai due lati della tribuna, disposizione che dà all'insieme un'aria da Corte d'assise. D'altronde, vi si svolge proprio una specie di processo. Il processo all'Aborto. Almeno stando al cranio rasato che si esprime, in piedi dietro l'ampio tavolo rivestito di velluto rosso. Di fronte a lui, la sala ascolta, accanto a lui gli altri esperti ascoltano, e lo stesso fa zia Julia, che ha tirato fuori il quadernetto. Io, invece, mi domando dove ho già visto il testone completamente depilato, con orecchie appuntite, sguardo mussoliniano, sessantina indistruttibile. Una cosa è certa, non ho mai sentito quella voce. Addirittura mai, in vita mia, mi sono lasciato perforare i timpani da un organo così freddamente metallico. Zia Julia conosce sia il tizio sia la voce poiché ha appena scritto sul quadernetto, con una scrittura stranamente misurata per una creatura tanto vulcanica: "Il professor Léonard è sempre uguale". E tira un saggia riga da scolara prima di aggiungere: "sempre coglione". Il che mi spinge ad ascoltarlo. Se ben capisco, il Léonard in questione (professore di cosa?) risulta essere il presidente di una certa *Lega per la natalità e la difesa dei giovani*, abbastanza importante nel paese da avere un certo peso elettorale. Ed è proprio questo ad agitarlo, Léonard.

– In coscienza, e inteso che qui non facciamo politica, ci limitiamo a informarci (non mi suona nuovo), il problema che si pone è quello dell'uso che noi, cristiani, natalisti, e francesi, inoltre, faremo dei nostri voti in occasione del prossimo appuntamento elettorale.

(Ah! Ecco di cosa si tratta...)

– Andremo a ingrossare le fila di coloro che, a disprezzo dei nostri valori più sacri, LEGALIZZARONO L'ABORTO?

Domanda posta con una tale fiamma nello sguardo che una corrente d'aria infernale incenerisce l'uditorio.

– No, non credo, – sussurra Léonard, che ha il senso della folla, non credo...

(Francamente, nemmeno io.) Getto una rapida occhiata al di sopra della spalla di zia Julia che non ha scritto niente di nuovo. Quando riattivo le orecchie, Cranio da Obice sta dissertando sull'immigrazione, "la cui soglia di tolleranza è superata da tempo", ed elenca tutti i problemi posti da tale flagello "tanto dal punto di vista economico quanto sul piano scolastico, per non parlare della sicurezza in generale, e di quella delle nostre figlie in particolare..." Delle due l'una: o non gli piacciono gli Arabi o non ha alcuna fiducia nella propria figlia. Comunque, in entrambi i casi, Hadouch gli spezzerebbe i bei polsi sottili. Mi concedo di distrarmi e lasciar planare lo sguardo sulla folla. Quanto di più perbenino, la folla. Con una rassegnazione alla ricchezza data dalla pratica secolare di efficaci matrimoni. Perlopiù donne. Gli uomini sono rimasti in ditta. E, non so perché, tutto questo mi fa pensare a Laurent, a Louna, al loro incontro. Lei aveva 19 anni, saliva le scale della metropolitana. Lui ne aveva 23 e le scendeva. Lei era appena stata mollata da uno zombi che preferiva le astrazioni; lui stava per presentare il suo internato in medicina. Lui la vide, lei lo vide, Parigi si fermò. Lui non si presentò al concorso, e per un anno non uscirono dalla camera da letto. Io li rifornivo di cestini di roba da mangiare e libri (perché nonostante tutto mangiavano. Avevano anche un certo appetito. E tra un viaggio interstellare e l'altro si leggevano a vicenda qualcosa, a volte persino *durante*, a riprova che le due cose non sono incompatibili). Sentiamo un po', signore, quale dei vostri sposi a cinquanta carati ha sacrificato per voi un concorso importante, un intero anno di studi, un anno di guadagni, così, per Amore, per Romanticismo, eh? Quale?

Non divagare Malaussène, presta invece attenzione al cambio di attori. Léonard-il-Calvo si è seduto per lasciare la parola a un altro professore (una tribuna baronale, ho capito), il quale, alzandosi, quasi mi fa pigliare un colpo. L'antitesi dell'altro! Tanto Léonard è compatto, lucente, perfetto, pericoloso, quanto quest'ultimo, che dichiara essere il professor Fraenkhel, ostetrico (in effetti, ho già sentito questo nome nell'ambiente), quanto, dicevo, quest'ultimo è tremante, dolente, fragile. Con l'ossatura nodosa, la spropositata magrezza, la chioma scarmigliata, lo sguardo di bambino colto dalla sorpresa adulta, sembra una creatura approssimativa e troppo buona, uscita dal cervello di un Frankenstein in acido per essere gettata inerme in un mondo dove troverà solo guai.

– Non parlerò di politica, annuncia anche lui (ma a lui, stranamente, credo), mi atterrò alle Scritture, a quello che ci insegnano i Padri della Chiesa...

Questo riassunto in una frase, ma gli ci vuole un buon quarto d'ora, durante il quale il pubblico si abbiocca. C'è dentro di tutto: "Lasciate che i bambini vengano a me, il cammello, il ricco e la cruna dell'ago, beati i semplici, la prima pietra a chi non ha peccato", per finire con questa frase, tratta da San Tommaso o da qualcun altro: "È meglio nascere malato e deforme che non nascere affatto".

Accade l'incidente.

Come direbbero i giornali.

Una ragazza alta e bionda della seconda fila, che non avevo notato, avvolta in una pelliccia babilonica, si leva come un'apparizione, tuffa la mano nella borsetta Hermes, ne estrae un oggetto innominabile e sanguinolento che scaglia con tutte le sue forze sul conferenziere, e guaisce con una voce stridula e priva di accenti circonflessi: – Tieni, eccotene qua uno, di deforme, razza di coglione.

La cosa passa al di sopra delle teste con un sibilo spugnoso e va a schiantarsi sul petto di Fraenkhel, schizzando di sangue acre l'intera tavolata emerita. Fraenkhel non è più l'immagine del dolore, è il Dolore personificato. Ma Léonard, con un grido e una rapidità di gatto selvatico, proietta le sue sessanta primavere al di sopra del tavolo, e si getta sulla ragazza, con lo sguardo folle e gli artigli in fuori. Un istante di volo durante il quale la ragazza salta in piedi sulla sedia, spalanca la pelliccia e urla: – Fermò lì, Léonard, sono carica.

Léonard si blocca in piena traiettoria. La tribuna ufficiale caccia lo stesso urlo atterrito: la ragazza ha scoperto il più sontuoso corpo di donna incinta che un natalista possa sognare. Nudo dalla testa ai piedi, rigoglioso e teso come una divina mongolfiera, la fertilità in tutta la sua planetaria esuberanza.

Zia Julia annota, con calligrafia da scolaretta, che il professor Léonard ha appena fatto conoscenza con la dialettica.

Più tardi, nella 4 cavalli, ripensando al dolore insanguinato di Fraenkhel, dico che forse la ragazza ha sbagliato bersaglio. È sul professor Léonard che avrebbe dovuto scaraventare il polmone di vitello, era lui il vero lupo cattivo. Julia se la ride discretamente: – Credevo che fossi masochista, Malaussène, per poter accettare quell'assurdo lavoro di Capro Espiatorio, ma no, in realtà sei una specie di santo.

Dev'essere proprio così.

Il santo si fa lasciare davanti al Grande Magazzino e si mette a girare tra i corridoi del pianterreno. Alla ricerca di qualcuno. Qualcuno di ben preciso. Che devo assolutamente trovare. Con urgenza. Sono le sette di sera, spero che non se la sia già svignata. Gesù caro, fa che sia ancora qui. Dai! Un gesto benevolo, non ti chiedo mai niente, Signore. Ci sono persino forti probabilità che tu non abbia mai sentito parlare di me. Esaudisci il mio voto, porco cane! Grazie! C'è, lo vedo. Sta per girare all'angolo degli shetland. Nemmeno l'ombra di un cliente nel reparto. Perfetto. Affretto il passo. Ci incontriamo.

– Salve, Cazeneuve!

E gli sparo un montante nel fegato, bello tosto, con dietro tutto il peso del corpo. (L'ho imparato sui libri). Lui si spezza in due. Faccio appena in tempo a fare un saltino all'indietro, in modo che vomiti sulle proprie scarpe anziché sulle mie. (Il problema con i santi è che non possono esserlo ventiquattro ore su ventiquattro.)

Fatto questo, scendo al piano del fai-da-te dove trovo Théo intento a perquisire le tasche dei suoi vecchietti, come ogni sera. Aspettano tranquilli, in fila indiana. Nessuno protesta quando Théo estrae dai camici grigi gli oggetti sottratti nell'arco della giornata.

– Salve, Ben, lavori anche nel tuo giorno libero, adesso? Sainclair ne sarà felice!

Gli regalo le foto che Clara ha fatto al Bois, e lo aiuto a rimettere a posto la merce sgraffignata.

– Ti rendi conto, ce n'è uno che si è portato in giro tutto il giorno cinque chili di diserbante nelle tasche del camice.

19

Zia Julia e Clara cominciano il servizio sul Capro Espiatorio la settimana seguente. Da parte mia, cerco di dare il massimo. Esageratamente debole, piagnucoloso, uno straccio sull'orlo del suicidio. Nemmeno un cliente mantiene il reclamo. A stento non mi firmano degli assegni. Arrivano gonfiatissimi di legittima indignazione e se ne vanno persuasi, qualsiasi cosa abbiano vissuto, vivano o vivranno, di avere visto oggi il peggio: la sventura fatta uomo, come in un racconto di Hoffmann reso attuale. E, a ogni tappa del loro percorso iniziatico nel Grande Magazzino, incontrano l'obiettivo di Clara. Clara che ne coglie la rabbia quando si dirigono verso l'ufficio di Lehmann, Clara che ne fissa tutte le fasi della trasformazione all'interno del suddetto ufficio. Clara che immortala l'espressione di autentica umanità che li trasfigura all'uscita, Clara, ancora, che ci fotografa, Lehmann e me, mentre ridiamo da quei due bei porci che siamo, una volta terminata la farsa, Clara, infine, *di cui non vedo mai la macchina fotografica!*

Zia Julia, che in un primo tempo ha passato qualche giorno a osservarmi nell'esercizio delle mie funzioni, ormai lavora quasi solo sulle foto della mia sorellina. Queste sono per lei una realtà più eloquente della realtà stessa. Scarabocchia quintali di appunti man mano che arrivano i negativi e si rivolge a Clara sempre con un curioso miscuglio di emozione materna e stupore professionale. L'ha adottata, come una figlia spirituale generata dalle sue ambizioni più elevate.

La sera, sono ormai in due a prendere appunti mentre

servo ai bambini la loro dose di finzione: Thérèse sulla sua macchina acchiappa-parole e zia Julia sul quaderno da scolara. Le foto che Clara ha fatto in casa sono un po' meno buone.

– È che ho la testa altrove, zia Julia, ascolto le storie di Ben.

Nel frattempo spuntano dei tubicini, ogni giorno più numerosi, dal corpo di Julius. Alcuni entrano, altri escono: acqua, plasma, vitamine, sangue di bue, da un lato, urina e merda dall'altro. Come promesso, Laurent fa il possibile. Julius se ne frega. Continua a fare le linguacce al mondo, con ostinazione metafisica, il labbro sollevato a mostrare le zanne assassine. A volte, la notte, ho l'impressione di dividere la camera con un ragno dell'Apocalisse, specialmente nelle notti di luna piena, quando la luce bianca allunga l'ombra spezzata delle sue zampe filiformi.

– Quanto tempo potrà reggere?

– Non so, – risponde Laurent, – apparentemente sembra voler battere ogni record.

Ed ecco che di quando in quando la massa inerte di peli si mette a sussultare, provoca un ticchettare di boccette e imprime all'ombra dei tubi un movimento ondulatorio che scorre sui muri della stanza. Infatti, gli abbiamo comprato un materasso spasmodico, che serve a prevenire le piaghe da decubito. Ai bambini, che si preoccupano di non veder tornare Julius, racconto che è guarito, ma che il direttore della clinica ha chiesto di tenerlo qualche tempo con sé perché insegni al proprio cane i trucchetti della vita canina: aprire e richiudere le porte, venire a patti con i buoni e diffidare dei cattivi, andare a prendere i bambini a scuola e riportarli a casa in metropolitana nei giorni di pioggia.

Louna, che si è piazzata da noi dopo che Laurent se n'è andato, ascolta le mie frottole con un'aria di ingenuità stupita che conosco bene per averla vista tanto spesso sul viso della nostra comune mamma: non è più lei ad ascoltare, è il piccolo inquilino che prospera a sue spese.

Ambito lavoro. Sainclair mi ha di nuovo fatto convocare, ma questa volta nel suo ufficio privato ("un whisky?" "un sigaro?") e si congratula (niente di meglio delle autocongratulazioni) per il rinnovato zelo che metto nello svolgere le mie mansioni. Cifre alla mano, mi rivela quanto il Grande Magazzino, in soli quindici giorni, ha risparmiato per merito mio. Apprezzabile.

– Ma c'è una cosa che mi tormenta, signor Malaussène: per svolgere in modo così perfetto un compito tanto ingrato, avrà un segreto? Una filosofia personale?

– Lo stipendio, capo, la filosofia dello stipendio succoso.

Stipendio che lui mi raddoppia seduta stante, con un sorriso infinitamente distinto. (Non credere di cavartela così, mio caro benefattore...) Quanto a Lehmann, non riesce a capacitarsi della mia recentissima complicità. È la prima volta che Lehmann *comunica*. Faccio sforzi inumani per rifiutarne gli inviti a cena, e gli altri inviti. "Conosco un localino, non hai idea, certe pompinare come non ne hai mai viste!" Amiconi, insomma. Mi chiede chi è Clara, con cui mi vede chiacchierare nei momenti morti.

– È mia sorella, vuole fare la commessa, allora le insegno il mestiere.

– Avevo una figlia che le somigliava, è morta.

Qualcosa, in lui, si è messo a tremare. Volta la testa dall'altra parte. (Oh, merda! Se neppure gli stronzi sanno essere perfetti...)

Théo, che non è né Sainclair, né Lehmann, prima sta zitto, poi, quando proprio non ce la fa più domanda:

– Cos'è questo zelo, Ben? Che razza di stangata ci stai preparando?

– Ti chiedo forse perché ti fototesseri?

– No, ma io te lo dico.

Appena mi scorge, Cazeneuve fa finta di essere trasparente. E più mi inoltro nella faccenda, più sospetto che, in fondo, faccia onestamente il proprio lavoro! Per Lecyfre, quel che si mormorava da tempo è oggi lampante: – Sei il servo dei padroni, Malaussène, l'ho sempre pensato, adesso te lo annuso addosso.

Perspicacia olfattiva che spiega i recenti successi del suo Partito alle elezioni municipali (sessanta città perse). Ciònonostante prepara con ardore la manifestazione CGT del 17 marzo, interna al Grande Magazzino (un rito biannuale: il suo Partito ha il senso della Messa) per il rispetto dei contratti collettivi.

– E non tentare di ficcarci i bastoni tra le ruote, Malaussène!

Cos'altro? Ah! sì, le mie crisi di sordità. L'ago di fuoco mi svuota ancora due volte le orecchie come volgari lumache. Allora lo stesso fenomeno si riproduce. Vedo il Grande Magazzino con una nitidezza sottomarina: sorrisi muti delle commesse intente a vendere la propria vita; gambe pesanti, registratori di cassa che si inceppano, discrete crisi di nervi, clienti nel bisogno che si inventano delle voglie, giubilo di fronte alla profusione delle cose, smercio, smercio, smercio, ladruncoli di ogni risma, ricchi, poveri, giovani, vecchi, maschi, femmine per non parlare dei vecchietti di Théo, che portano in giro una vita frenetica di formiche autogestite. È incredibile quello che riescono a sotterrare nelle profondità delle tasche! E quello che *costruiscono*, al piano del fai-da-te, come se niente fosse, sotto lo sguardo indifferente dei commessi! Una cattedrale di dadi e bulloni. Senza scherzi, ne ho beccato uno che sta montando una cattedrale di dadi e bulloni! Chartres, credo. Non a grandezza naturale, ma quasi. Quando gli manca la filettatura giusta, si dirige a passo misurato verso l'apposito reparto, intasca il pezzo e torna, con lo stesso passettino d'eternità. Il postino Cheval. Ha installato il cantiere neo-medievale ai piedi di una scala mobile. Troppo presi da quello che vengono a comprare, i clienti in arrivo non lo notano; troppo ansiosi di provare il loro nuovo materiale, nemmeno quelli che se ne vanno lo notano. Lui stesso non nota né gli uni né gli altri. Dolce autismo del fai-da-te che rende l'uomo pacifico e la donna disponibile.

Una delle crisi di sordità mi coglie una notte in piena partita a scacchi con Stojil. (Autorizzazione scritta di Sainclair, prego!) Lui stava dominando su tutti i fronti, ma io capovolgo la situazione e me lo bevo in due mosse. Ha un bel farmi il colpo della scacchiera confusa, niente da fare, schiacciato! Con la selvaggia brutalità che assumono le vittorie indiscutibili a questo gioco sottile.

20.

Il 17 marzo, giorno della manifestazione biannuale per il rispetto dei contratti collettivi, Théo indossa un completo di alpaca color perla. Quanto al fiore che appunterà all'occhiello, ha scelto un iris azzurro chiazzato di giallo. Ma non è per il corteo di Lecyfre che Théo si mette in tiro...

Sono intento a piangere tutte le mie lacrime di coccodrillo da Lehmann (una stufa incline alle fughe di gas che per poco non ha sterminato una famiglia numerosa), quando vedo il mio Théo che saltella davanti alla macchina delle fototessere come davanti alla porta di un cesso.

Mentre esce sconvolta dall'ufficio di Lehmann, la coppia di clienti incrocia un vecchietto dal camice grigio che viene a tamburellare sulla spalla di Théo. Lehmann mi indica la scena con un cenno sprezzante del mento. Il vecchio porge a Théo una costruzione in metallo color rame, piuttosto complessa, ma Théo lo manda seccamente a quel paese. Il vecchio si rifugia piagnucolando nella libreria vicina. Lehmann se la riderebbe volentieri, ma il telefono gli annuncia l'imminente passaggio della manifestazione intra-muros al suo piano. Soffoca un'imprecazione.

Esco.

Appena mi vede, Théo sbraita: – Mi dici cosa diavolo sta facendo questo segaiolo, da cinque minuti che è nella cabina?

A voce abbastanza alta perché il "segaiolo" della macchina delle fototessere possa sentire, dietro la tendina tirata.

— È come te, Théo, si fa bello.

— Potrebbe mettersi a posto prima, Dio Santo, se mai c'è qualcosa da mettere a posto!

È vero, Théo è sempre pronto prima. Ha elevato la fototessera al rango di arte. Per ciò gli è così penosa l'attesa dietro gli utenti che se ne servono come di un volgare duplicatore.

Il vecchietto torna alla carica. Pietosissimo, il suo sguardo. Untissima, la mano supplicante che sta per posare sul braccio di Théo.

— Per l'amor del Cielo, Ben, liberami da questo ammasso di lubrificante!

Trascino delicatamente il vecchietto verso la libreria dove lui mi indica, appoggiato sopra un lussuoso volume sulle armi antiche, l'oggetto del suo disappunto. È un assemblaggio di quattro rubinetti di rame, collegati alla base da un tumore di dadi definitivamente maligno.

— Si inceppa, signor Malaussène.

C'è del lirismo, in questa rubinetteria. Ma il vecchio ha la tremarella, deve aver storto qualche passo della vite, da ciò l'eccesso di grasso per tentare la "decontrazione". La copertina del bel libro è maculata di aloni scuri. (Bastava che pulissero le armi prima di fotografarle...) Questa sera, con discrezione, Théo farà sparire i cadaveri, libro e rubinetto. Adesso però è occupato. Cosa che spiego nel modo più dolce possibile all'infantile vecchietto prima di avventurarmi nel labirinto degli scaffali alla ricerca di Risson, il libraro. Anche Risson è piuttosto vecchio, ha almeno l'età della letteratura. È un vecchio alto e freddo, che mi trova simpatico, con il pretesto che so leggere. Il nonno che a volte ho sognato, quando l'infanzia si faceva lunga. Eccolo, il signor Risson. Mi trova a occhi chiusi quello che gli chiedo: la riedizione tascabile del buon vecchio Gadda: QUER PASTICCIACCIO BRUTTO DE VIA MERULANA. Non osando sperare niente di più bello, mi tuffo nelle delizie della prima pagina. Che conosco a memoria. "Tutti oramai lo chiamavano don Ciccio. Era il dottor Francesco Ingravallo comandato alla mobile: uno dei più giovani e, non si sa perché, invidiati funzionari della sezione investigativa: ubiquo ai casi, onnipresente su gli affari tenebrosi."

Ma un baccano d'inferno mi strappa alla felicità.

Lecyfre, che drena i manifestanti dai sotterranei, attraversa il piano, dove miete altre commesse prima di raggiungere le vette. Gli organizzatori cercano di fare in modo che risate e chiacchiere seguano il ritmo degli slogan immortali. Il tutto fa molto bravi ragazzi, viva gli scout, tutto molto rituale. Il corteo non sale dalla Bastiglia al Père Lachaise passando da République, ma dai sanitari in basso ai tappeti persiani in cima, e passa sotto il naso di Lehmann che sogna stermini di massa, rintanato dietro la vetrata. Questa volta mi sorprende che Cazeneuve si sia unito alla colonna ascendente. Di solito, si astiene con una risata avveduta, ma oggi invece c'è. E passandomi davanti (mentre alzo stupidamente gli occhi dal libro, scusa Gadda), mi lancia un'occhiata carica di tutto il disprezzo delle coscienze militanti. È la prima volta, da settimane, che mi guarda. Lecyfre mi domanda, scoppiando a ridere, come mai non mi unisco, e la maggioranza delle giovani donne che lo seguono cominciano a sghignazzare. Strane risate sotto sguardi che giudicano. È forse la contrarietà? Il bisogno di escludere? La spada di fuoco mi attraversa ancora una volta il cranio e non sento più niente. Ma vedo tutto: gli sguardi gravi, le risate mute, Théo che scalpita in lontananza sistemando l'iris azzurro all'occhiello, il vecchietto che tasta i suoi rubinetti, Lecyfre che ha appena reclutato una cassiera, una tipa con la pancetta di una vita a star seduta, Cazeneuve amabilmente chino sulla scollatura della vicina, la scomparsa di qualche cliente circospetto, e la cabina delle fototessere che esplode.

Un'esplosione che mi stura entrambe le orecchie. Tutte le lamiere per un decimo di secondo disgiunte, geyser di fumo dalle fessure, la tenda di stoffa che sventola nel vuoto, proiezioni insanguinate dalla porta per un attimo aperta, poi tutto ritorna a posto, e la cabina resta lì, in piedi, silenziosa, immobile e fumante, con una mezza gamba che fuoriesce dalla tenda ricaduta, con un piede all'estremità, un piede che sussulta, freme un'ultima volta e muore. Un odore straordinariamente acido invade tutti i polmoni del piano. La manifestazione diventa una vera manifestazione, totalmente selvaggia e incasinata. Théo, che è rimasto un attimo in piedi davanti alla cabina, si precipita dentro. La tenda ne copre metà del corpo. Quando esce, davanti a me, gli corro incontro. Il suo completo di alpaca, il volto, le mani, sono costellati di minuscole macchie di sangue. Sono così tante e così ravvicinate, che lo si crederebbe nudo, coperto da mostruose efelidi. Prima ancora che possa chiedergli qualcosa, fa il gesto di fermarmi: – Non entrare, Ben, è piuttosto antiestetico.

(Grazie, non ho nessuna voglia di godermi lo spettacolo di un terzo cadavere.)

– E tu, Théo, e tu?

– Di certo sto meglio di lui.

Una goccia di sangue brilla sul suo labbro superiore, trema, e cade al centro dell'iris azzurro chiazzato di giallo.

– Ho sempre pensato che l'iris avesse una vocazione carnivora.

La cosa più sorprendente è il seguito. La manifestazione, per un attimo dispersa, come spazzata via dal vento dell'esplosione, si era riformata al piano superiore, aggiungendo il tema della sicurezza a quello dei Contratti Collettivi. Forse perché l'esplosione era stata meno forte delle precedenti? Forse perché l'uomo si abitua? La folla dei clienti non ha dato seguito al primo momento di panico. Il Grande Magazzino non chiude le porte. Solo il piano è reso inaccessibile per il resto della giornata.

Théo è stato portato via dai pompieri. Stasera passerò da lui a controllare che sia intero.

Si parla dell'esplosione!

Poi se ne parla di meno.

Giusto quell'odore nell'aria, che raddoppia gli effettivi della clientela.

Nel pomeriggio, sono chiamato ancora due o tre volte da Lehmann, che ha traslocato nella cabina di Miss Hamilton, la quale miss, a giudicare dalla qualità dello sguardo-sorriso, ha finalmente compreso la vera natura del mio lavoro e l'eroismo che vi dispiego. Sa anche della stima di cui godo presso Sainclair e della moltiplicazione dei miei pani per due.

Troppo tardi, cocca. Bisognava amarmi quando non ero nessuno. Ma nel caso, se sarò dell'idea...

Poi, una chiamata da fuori. Mi chiudo nell'apposita cabina (ma è prudente chiudersi nelle cabine coi tempi che corrono?) e dico: – Pronto?

– Ben?

(Clara! Clara, sei tu, la mia Clarinette! Perché mai mi piace così tanto la tua voce, raggomitolarmi nella tua vocina tranquilla, senza uno strappo, delicato tappeto da biliardo dove scivola la precisione delle tue parole... Ok, basta così, Benjamin, niente incesti! E poi, raggomitolarsi in un tappeto da biliardo...)

– Non preoccuparti, tesoro, non mi sono fatto niente, è stata solo una piccolissima esplosione, questa volta, e avevo addosso la mia armatura, non vado mai in giro senza, lo sai, la tolgo giusto per rientrare a casa e stringervi tra le braccia. Una piccola esplosione da niente, davvero!

– Che esplosione?

Silenzio. (Non telefona per l'esplosione? Ah, bene.)

– Ho una bella notizia da darti, Ben.

– Ha telefonato la mamma?

– No, la mamma deve averci fatto l'abitudine, alle bombe.

– Avete finito il pezzo di zia Julia?

– Oh! no, ne abbiamo ancora per un bel po'!

– Jérémy non è stato sospeso a scuola?

– Sì, invece. Si è preso un giorno di sospensione, perché ha fatto casino nell'ora di musica.

– Thérèse si è convertita al razionalismo?

– Mi ha appena fatto le carte.

– Le carte dicono che alla maturità avrai la sufficienza?

– Le carte dicono che sono innamorata di mio fratello maggiore, ma che devo stare attenta a una rivale, giornalista di *Actuel*.

– Il Piccolo non sogna più gli Orchi Natale?

– Ha trovato sul mio *Robert* la riproduzione di *Saturno che divora un figlio* di Goya e gli piace moltissimo.

– Louna ha una gravidanza isterica?

– Torna adesso dall'ecografia.

– Maschio o femmina?

– Gemelli.

Silenzio.

– Clara, è questa la bella notizia?

– Ben, Julius è guarito.

Julius è guarito? Julius è guarito! No, Julius è guarito? Guarito! Julius! Sì, Julius è guarito. Ha creato anche un certo scompiglio nel palazzo, stamattina, scendendo i cinque piani di scale trascinandosi dietro una sarabanda di boccette che si rompevano sugli scalini, una dopo l'altra, mentre i sacchetti di deiezione sfondati disseminavano quel che dovevano disseminare e davano a Julius, all'estremità dei loro tubini translucidi, un'aria da cinghiale impazzito che tenta di sfuggire a un attacco di meduse. Panico nel condominio. Tutti gli inquilini chiusi in casa a doppia mandata, e tutti i fetori julieschi allegramente librati per la tromba delle scale.

— Gli farei volentieri un bagno, ma forse è un po' presto, no?

— Più tardi il bagno, Clara, più tardi, adesso raccontami il seguito!

— Non c'è nessun seguito, è guarito e basta. Ha bevuto e mangiato come se avesse fatto solo una passeggiata un po' lunga, e si è addormentato sotto il letto del Piccolo, come suo solito a quest'ora.

— Hai chiamato Laurent?

— Sì.

— Cos'ha detto?

— Che Julius era guarito.

— Ci sono dei postumi?

— No. Ah! sì, qualcosina sì.

— Cosa?

— Continua a fare le linguacce.

21

E sbam! Ricevo il colpo in pieno fianco. Non faccio in tempo a riprendere fiato che un altro attacco, frontale questa volta, mi manda al tappeto. Non mi resta che raggomitolarmi, raccogliermi al massimo, lasciar piovere, aspettare che finisca pur sapendo che non finirà. E infatti non finisce. E non è una partita di scacchi.

NON È UNA PARTITA DI SCACCHI, CAZZO!

Questo urlo muto mi catapulta in piedi. C'è il grido di sorpresa di chi mi mantiene al suolo e rotola sul marciapiede, poi la visione netta di Cazeneuve, in piedi davanti a me, intento ad armare il suo piede per mollarmi un'altra scarpata nelle costole. Incresciosa apertura tra le sue gambe dove si schianta il mio piede, provocando un urlo da dingo capace di risvegliare tutto l'emisfero australe. Basta Cazeneuve. Ma un colpo alla nuca mi fa precipitare in avanti, a braccia aperte, stringendo come la salvezza un altro corpo che cade, sotto la mia spinta. Di nuovo il marciapiede, ma questa volta la caduta è ammortizzata dallo spessore dell'altro, sotto, l'altro che colpisco alla cieca, faccia, costole, stomaco, e che grida aiuto, merda, questa voce, porca merda, è una donna! Lo stupore mi fa sollevare di nuovo la testa, giusto per vedere la traiettoria del piede che mi colpisce in piena bocca e mi manda a faccia a faccia con il diavolo. Il diavolo, stanotte, è armato di un dannato manganello, che prima si abbatte sulla mia spalla, ma poi mi manca, perché rotolo su me stesso, facendo violente sforbiciate con le gambe per falciare tutto intorno a me.

Urla di tibie, rumore molle di una grossa caduta, versi vari, e di nuovo il bastone del diavolo, che non mi manca, questa volta, esplosione del mio povero cranio, addio vita, addio giorno, addio notte, anche questa fottuta notte di merda, addio...

"Ubiquo ai casi, onnipresente su gli affari tenebrosi."

Se finire in paradiso, all'inferno, nel nulla significa ritrovare Carlo Emilio Gadda, viva il nulla, il paradiso e l'inferno!

— Elisabeth, un po' di caffè per cortesia.

Sì, l'ispettore Ingravallo (ma perché diavolo lo chiamavano don Ciccio?) finito per ragioni di servizio sul marciapiede di via Merulana, ha proprio bisogno di un cafferino.

— Credo che a poco a poco stia rinvenendo.

Oh! piano, per favore, rinvenire piano, il più piano possibile, ho appena fatto la conoscenza del Dolore. Carlo, non abbandonarmi, non farmi riprendere, Carlo Emilio, non voglio lasciarti!

— Cosa dice?

— Dice che non vuole lasciare un certo Carlo Emilio Gadda, e francamente lo capisco.

— Un italiano?

— Il più italiano di tutti, Elisabeth, piano con il caffè, o finirà per soffocarlo.

L'ispettore Ingravallo intingeva la penna nel cappuccino, da ciò il quieto nervosismo della sua lingua...

— Multidialettale, questa lingua, sì, è un vero peccato che non ci sia l'equivalente nella nostra letteratura.

Bisognerà che lo legga ai ragazzi, anche se non ci capiranno niente, bisogna anche che prepari Clara alla maturità, non alla vita, lo fa da sola, alla maturità.

— Adesso credo proprio che stia riprendendo coscienza, mi aiuti che lo mettiamo seduto.

Come mettere seduta una fisarmonica di dolori? Julius tutto intero e io in ventimila pezzi! Come mettere seduti ventimila pezzi?

— Piano, Elisabeth, mi passi un altro cuscino...

Ma Julius è guarito? JULIUS È GUARITO!

— Ma chi è questo Julius, signor Malaussène? Gaddà lo conosco, ma Julius...

La domanda del commissario Rabdomant, benché fatta con il sorriso sulle labbra, esige una risposta che finirà negli incartamenti.

– È il mio cane, è guarito.

I divani Récamier non sono certo le barelle più comode.

– Tenga, prenda ancora un po' di caffè. Non ho alcuna nozione di medicina, ma ho una totale fiducia nel caffè di Elisabeth. Elisabeth, lo aiuti, la prego.

Sì, mi aiuti, Elisabeth, sono seduto sulle mie ossa.

– Ecco.

(Ecco, ecco, ecco...)

– Perché mai i divani Récamier sono così duri?

– Perché i conquistatori perdono l'impero se si addormentano sui sofà, signor Malaussène.

– Lo perdono comunque, il sofà del tempo...

– Si direbbe che sta meglio.

Giro la testa verso il commissario Rabdomant, seduto al mio capezzale, alzo la testa in direzione di Elisabeth, china su di me, con la tazza di caffè in mano (la tazzina profilata d'oro, con la N imperiale), abbasso la testa verso i miei piedi, là in fondo. La mia testa si alza e si abbassa, sto meglio.

– Adesso possiamo parlare.

Parliamo.

– Ha idea di quello che le è successo?

– Il Grande Magazzino mi è saltato addosso!

– E per quale ragione, secondo lei?

Per quale ragione? Ingiustificata inimicizia di Cazeneuve? Non era solo. E nel mucchio c'era almeno una donna. (Una donna che ho picchiato, Gesù del Cielo!) Perché? Perché non partecipo alle manifestazioni? No, non siamo né negli UESSEI né INNURS. Per questo anzi non trovo mai occasioni per manifestare. Per quale ragione mi sono saltati addosso?

– Non so.

– Io sì.

Il commissario Rabdomant si alza nella luce verde della sua scrivania.

– La ringrazio, Elisabeth.

Ringraziata Elisabeth, la porta si richiude. Basta caffè. In piedi davanti alla sua biblioteca, il commissario Rabdomant recita:

– "Ubiquo ai casi, onnipresente su gli affari tenebrosi."

– Gadda.

– Gadda *e lei*, signor Malaussène. Lei era presente sul
luogo della prima esplosione, della seconda e della terza.
Quanto basta perché qualcuno si metta in testa delle
idee.

È vero. Ma se ben ricordo, anche Cazeneuve era presente, tutte tre le volte. Lo dico o non lo dico? Peggio per
Cazeneuve, lo dico.

– È vero, – risponde il commissario, – ma lui non as-
sisteva alla conferenza del professor Léonard.

Cranio di obice? Cosa c'entra in questa storia?

– È l'ultima vittima.

Ma davvero...

– Lei cosa faceva a quella conferenza?

Compromettere Cazeneuve, d'accordo, ma zia Julia
no (benché, se mi hanno visto, mi hanno per forza visto
con lei).

– Ho una sorella incinta, e si domanda se...

– Capisco.

E questo non vuol dire che approvi. Né che si accon-
tenti della risposta. Tanto per vedere come vado, provo
la posizione seduta. Ohi! Rigido come Julius quando era
rigido. (Julius è guarito!)

– Ha due costole incrinate. L'hanno fasciata.

– E la testa?

– Ammaccata, niente di più.

(Niente di più.)

Gira attorno alla scrivania, si siede, accende la lampada. Dalla smorfia abbagliata che faccio capisce e ne
smorza l'intensità.

A quanto ne so, la lampada reostatica è con il telefono
la sola concessione alla modernità di tutto l'ufficio. Il
commissario si gratta dietro l'orecchio, poi l'ala del naso,
quindi intreccia le dita davanti a sé, e dice:

– Lei fa un mestiere davvero curioso, signor Malaussène, che attira necessariamente i colpi, prima o poi.

(Toh, contrariamente a quel che affermava Sainclair,
ci ha dunque creduto alla mia storia del Capro Espiatorio!)

Segue la domanda più stupefacente che un imputato,
ammesso che io sia imputato, abbia mai sentito dalla
bocca di un poliziotto.

– È lei che mette queste bombe, signor Malaussène?

– No.

– Sa chi è?

– No.

Nuova grattatina di naso, nuovo intrecciarsi delle dita, e secondo motivo di sorpresa: – Benché sia tenuto a comunicarle le mie conclusioni personali, sappia che le credo.

(Tanto meglio per il sottoscritto.)

– Ma sul lavoro, molti colleghi pensano che sia lei.

– Tra cui quelli che mi hanno aggredito stasera?

– Tra gli altri.

Il movimento delle sopracciglia mi indica che cercherà di farsi capire bene: – Vede, il Capro Espiatorio non è solo quello che, all'occorrenza paga per gli altri. È soprattutto, e anzitutto, un *principio esplicativo*, signor Malaussène.

(Io sono un "principio esplicativo"?)

– È la causa misteriosa ma evidente di qualsiasi evento inspiegabile.

(E per giunta, eccomi divenuto una "causa evidente"!)

– Ciò spiega le stragi di ebrei durante le grandi pesti del Medio Evo.

(Ma non siamo più nel Middle Age, no?)

– Per alcuni suoi colleghi, in quanto Capro Espiatorio lei è quello che mette le bombe, per il semplice motivo che hanno *bisogno* di una causa, perché serve a tranquillizzarli.

(Non me.)

– Non hanno alcun bisogno di prove. La loro convinzione è sufficiente. E ricominceranno se non metto un po' le cose a posto.

(Metta le cose a posto, allora!)

– Bene, parliamo d'altro.

Abbiamo parlato d'altro. Di me. Da cima a fondo. Perché non aver sfruttato come si deve la laurea in legge? (È una delle poche persone al mondo a sapere che sono esimio titolare di quel pezzo di carta.) Perché? Be', non lo so nemmeno io il perché. La paura adolescenziale del posto fisso, forse, dell' "integrazione nel sistema", come si diceva a quei tempi, benché io non abbia mai abboccato molto a quelle storie.

Banalità, insomma.

– Non ha mai militato in una qualsiasi organizza-zione?

Né in una qualsiasi, né in una famosa. All'epoca in cui avevo amici, militavano loro al posto mio, barattando l'amicizia con la solidarietà, il flipper con il ciclostile, le seratine romantiche con i turni "responsabili" in sede, il chiaro di luna con il bagliore del pavé, Gadda con Gramsci. Sapere se erano loro o io ad aver ragione è un interrogativo troppo grande per chiunque voglia dargli una risposta. E poi, comunque, io avevo già una madre in fuga, i bambini a casa, Louna e i suoi primi amori. Thérèse che di notte aveva incubi da risvegliare tutta Belleville, e Clara che impiegava due ore per tornare dall'asilo a trecento metri da casa. ("Guaddo, Ben, mi divetto a guaddare." Già allora.)

– E suo padre?

Uno dei tipi di mia madre. Il primo. Lei aveva quattordici anni. Mai visto: pianga commissario. Lui non piange, ordina, classifica, non dimenticherà niente.

Poi viene la spinosa questione della zia Julia e di cosa lei "rappresenti" per me. In realtà, cosa "rappresenta"?

A parte la seduta di radicale autocritica sessuale. E il pezzo che sta preparando – ma questo non lo riguarda.

– È un po' presto per rispondere a questa domanda.

– O un po' tardi.

A questo punto, lui alza di una tacca il reostato della lampada, perché io possa valutare tutta la serietà che ha preso posto sul suo viso.

– Diffidi di quella donna, signor Malaussène, non si lasci coinvolgere in qualche... (riflessione)... in qualche collaborazione di cui potrebbe pentirsi.

(Chi tace, tace.)

– I giornalisti hanno il vizio della spontaneità, senza preoccuparsi delle conseguenze. Noi, invece, sappiamo che la spontaneità va educata.

– Noi? Perché *noi*?

(Mi è scappata.)

– È capofamiglia, no? Quindi educatore. Anch'io, a modo mio.

A questo punto, mi rivela per la seconda volta le sue conclusioni. Bene, non crede che sia io il bombarolo. Però le bombe esplodono ovunque io passi. Quindi, qualcuno cerca di incastrarmi. Chi? Mistero. Del resto è solo una semplice ipotesi. Ipotesi che al momento opportuno si rivelerà esatta o errata.

– Quale momento opportuno?

– L'esplosione della prossima bomba, signor Malaussène!

Bravo. E se la prossima fa saltare in aria tutto? Domanda ingenua, che comunque faccio.

– I nostri laboratori non sono di quest'idea: io nemmeno.

Fine dell'interrogatorio da parte del commissario di divisione Rabdomant con alcuni suggerimenti. Cioè ordini: prendo due o tre giorni di ferie per rimettermi in sesto, poi torno al Grande Magazzino. Non cambio nulla delle mie abitudini, né dei miei itinerari. Due esperti dell'osservazione mi seguiranno con gli occhi dal mattino alla sera. Tutte le persone che mi avvicineranno saranno definitivamente fotografate da quelle telecamere viventi. I due sbirri saranno il mirino, in un certo senso, e io il bersaglio. Questo è quanto. Accetto? Vai a sapere perché, accetto.

– Bene, la faccio riaccompagnare a casa.

Schiaccia un piccolo pulsante (altra concessione alla modernità) e chiede a Elisabeth di far salire l'ispettore Caregga. (Toh! Caffè turco!)

– Un'ultima cosa, signor Malaussène, a proposito dei suoi aggressori. L'avrebbero uccisa se uno dei miei uomini non si fosse trovato sul posto. Vuole sporgere denuncia? Ho qui la lista.

Estrae un foglio dal sottomano e me lo porge. Desiderio folle di leggere quella scartoffia. Desiderio assurdo di far colare a picco quella banda di imbecilli. Ma, "vade retro Satana", il diafano angelo in me risponde "no", dicendosi contemporaneamente che gli angeli sono dei coglioni.

– Come vuole. In ogni caso, dovranno rispondere del reato di schiamazzi notturni e dovranno affrontare la direzione del Grande Magazzino che è stata messa al corrente.

Non sarà questo a blindarmi le costole.

22.

Parigi dorme e l'ispettore Caregga guida come tutti gli sbirri del mondo battono a macchina: con due dita. È sempre ibernato nel giubbotto dal collo di pelliccia. Gli chiedo se può passare da Théo. Passa da Théo.

Mi accingo a salire le scale dell'amico a passo di carica, in realtà a passo di lumaca. Rianimazione a ogni pianerottolo. Raggiungo finalmente la porta, dove trovo appuntata una piccola rappresentazione fotografica. Il mio Théo cinto da un grembiule da casalinga ornato di un mazzetto di quattro pratoline. Ho capito. Non è in casa. È da me. Preoccupati, i ragazzi devono averlo chiamato, e lui è andato a fare loro da tata.

Quando lo raggiungo nella sua bagnarola, l'ispettore Caregga è prossimo alla ritirata. Per compensarlo della breve attesa, mi faccio lasciare all'incrocio della Roquette e della Folie-Régnault, a cinquanta metri da casa. Così non dovrà farsi tutto il viale. Grazie mille, è di servizio stasera, e ha molta fretta. Esco e trascino le mie quattro ossa verso i bambini. I bambini... i miei bambini. Piccolo tuffo al cuore che, curiosamente, mi fa venire in mente il professor Léonard. Allora è così. Leo il Natalista è venuto a farsi spappolare proprio sul mio posto di lavoro! Eppure, non aveva la faccia di uno che frequenta i Grandi Magazzini. E nemmeno di uno che si diverte con le macchine delle fototessere. Era fatto interamente a mano, il professor Léonard. Aveva addosso come minimo due o tre milioni di lire in vestiti, quando l'ho visto alla conferenza. La scarpa destra non doveva essere stata fatta dallo stesso artigiano della sinistra, ciascuna era il lavoro di un'intera vita. No, un tipo del genere non frequenta i Grandi Magazzini. Se un giorno prende la metropolitana, può essere solo sotto l'effetto di una violenta emozione. O per mantener fede a una scommessa accettata all'ultima riunione mondana della figlia.

(Santo Dio, sono così lunghi cinquanta metri?)

Léonard... il professor Léonard... Non era esattamente della stessa stoffa di Sainclair. La Tradizione non gli era stata insegnata. Era nato nel serraglio, aveva succhiato i valori sacrosanti al seno di una vera balia, garantita genuina di campagna. Probabilmente dodici generazioni di medici patentati alle spalle. Un tempo medico del re, oggi presidente del Consiglio dell'Ordine, chi lo sa? I più alti ranghi medici sin dai tempi di Diafoirus. Un uomo del genere, finire vittima del caso, in un luogo così pubblico, in compagnia di un garagista di Courbevoie e di un ingegnere del Genio Civile innamorato della sorella gemella! Compromettersi a tal punto... che onta per la famiglia! Sarà seppellito in fretta e furia e di nascosto, in una notte senza luna.

(Ma sono davvero solo cinquanta metri?)

Dacci un taglio, Malaussène. Sei solo un povero stronzetto che non capisce un tubo dell'alta società. Parli per preconcetti e sinistrismi. "Adeguarsi", ecco il loro trucco. Nell' "adeguarsi" sta il segreto del loro potere. Si adeguano. Accedono alla Presidenza suonando la fisarmonica e se non prendono la metropolitana è perché scendono a piedi gli Champs Elysées, con regale semplicità. Loden verde sopra, *Petit Bateau* sotto.

Adeguarsi...

Infatti Théo è da me. E pure Clara. E Thérèse. E Jérémy. E il Piccolo. E Louna. E la sua pancia. E Julius. Che mi fa le linguacce. I miei.

– Ben!

Un grido. E nient'altro. Grido di dolore lanciato da una delle sorelle nel vedermi. Quale di loro? Louna ha portato le mani alla bocca. Thérèse, seduta alla scrivania, mi guarda come se fossi un fantasma. (Lo sono.) E Clara, in piedi, lascia che gli occhi le si riempiano di lacrime. Poi, a tentoni dietro di sé, trova la Leica e la porta all'occhio destro, FLASH! e l'orrore è arginato, alla mia capoccia è impedito di raggiungere proporzioni da *Elephant-man*.

Alla fine, è Jérémy a restaurare l'ordine naturale delle cose domandando: – Di' un po', Ben, mi sapresti dire perché quello schifo di un participio passato si accorda con quel fottutissimo complemento oggetto diretto quando è messo *prima* di quel merdosissimo ausiliare essere?

– "Avere", Jérémy, davanti all'ausiliare "avere".

– Come preferisci. Théo non è capace di spiegarmelo.

– Io, per la meccanica... – fa Théo con un gesto vago.

E spiego, spiego la buona vecchia regola stampando un bacio paterno su ogni fronte. È che, vedete, un tempo, il participio si accordava con il complemento oggetto diretto, sia che questo fosse prima, *sia dopo* l'ausiliare avere. Ma la gente dimenticava così spesso l'accordo quando il complemento era piazzato dopo, che il legislatore grammaticale trasformò l'errore in regola. Ecco. Le cose stanno così. Le lingue evolvono nel senso della pigrizia. Sì, sì, "deplorevole".

– È successo sotto casa mia, Ben. Dovevano sospettare che saresti venuto a prendere mie notizie, e ti sono saltati addosso davanti al portone del mio palazzo.

Sono sdraiato sul mio letto. Julius, seduto per terra, mi ha appoggiato la testa sulla pancia. Tre centimetri buoni di una lingua molle, calda (viva!) riposano sul mio pigiama. Théo cammina avanti e indietro.

– Quando sono arrivato all'ospedale, era tutto finito. Un marcantonio di sbirro, conciato come un aviatore della Normandie-Niémen, ti caricava sulla macchina.

(Grazie, ispettore Caregga.)

– Secondo me, ti pedinava. Ti ha visto entrare da me, ha approfittato per andarsi a comprare un pacchetto di sigarette, e quando è tornato gli altri erano già all'opera da un pezzo.

– Hai visto chi erano?

– No. Un'ambulanza si è portata via i tuoi aggressori messi fuori combattimento dall'aviatore. Mi sa che ci è andato giù duro.

(Grazie ancora, Caregga.)

– E tu, Théo, niente di rotto?

– Mi sono giocato un vestito.

Si ferma di botto e si volta verso di me.

— Posso farti una domanda, Ben?

— Falla.

— Sei dentro in questa storia di bombe?

Questa, poi, non me l'aspettavo.

— No.

— Peccato.

Ma allora, stasera, è tutta una sorpresa!

— Perché se così fosse, quasi ti considererei un eroe nazionale!

Andiamo, su, che gli prende? Non mi tirerà mica fuori la storia della putrida società dei consumi, non lui, non a me, non alla nostra età, non con il nostro lavoro!

— Sputa fuori, Théo, cosa nascondi?

Si avvicina, si siede vicino alla testa di Julius, il cui occhio ruota (vivo, Julius!) e assume un'aria da confidente shakespeariano.

— Il tizio che si è fatto spappolare nella macchina delle fototessere.

Mormorio...

— Sì, Théo?

— Era un porco della peggior specie!

Non esageriamo, la specie è piuttosto diffusa e il fatto di essere un porco è giustificato perché quelli come lui se ne fanno un dovere.

— Lo conoscevi?

— No, ma so come passava il tempo libero.

— A farsi le seghe nelle macchine delle fototessere?

A questo punto, un bagliore attraversa il suo sguardo.

— Esatto, Ben.

Non vedo cosa ci sia di tanto mostruoso (né di tanto piacevole).

— Contemplando alcuni ricordini.

D'un tratto, la sua voce si fa vibrante. Di una collera che non gli ho mai conosciuto.

— Dai, Théo, spara!

Lui si alza, toglie il grembiule a pratoline, tira fuori dalla tasca della giacca un portafoglio, prende quella che mi sembra essere una vecchia foto, e me la tende.

— Guarda un po' qua.

È infatti una foto piuttosto vecchia, coi bordi a francobollo, in bianco e nero. Ma molto nera, però! Molto nera. Si vede il corpo atletico del professor Léonard, venti o trent'anni prima, nudo dagli alluci alla cima appuntita del cranio. È dritto, in piedi, con lo sguardo acceso, la bocca tirata in un ghigno demoniaco, le braccia tese, che immobilizzano su un tavolo un altro corpo...

— Oh! no...

Alzo gli occhi. Il viso di Théo è inondato di lacrime.

— È morto, Ben.

Guardo di nuovo la foto. Quale istinto ci dice che un orologio è fermo, anche se segna l'ora giusta? Il bambino che il Professor Léonard tiene contro il tavolo è morto, non c'è alcun dubbio.

— Dove l'hai trovata?

— Nella cabina, ce l'aveva ancora in mano.

Lungo silenzio, durante il quale guardo la foto più da vicino. C'è l'uomo nudo, con i muscoli tesi, lucenti come lampi (i riflessi del flash sul sudore, suppongo). Su quello che può essere un tavolo, c'è la forma bianca del bambino, con le gambe che penzolano nel vuoto. E, ai piedi del tavolo...

— Cosa vedi ai piedi del tavolo?

Théo avvicina la foto alla mia lampada da notte e si asciuga le guance con il dorso della mano.

— Non so, vestiti forse, vestiti ammucchiati.

Sì, un mucchio di qualcosa che si dissolve in un chiaroscuro di ombre sempre più fitte, fino all'oscurità vibrante da cui emerge la bianca visione del bambino immolato.

— Perché non l'hai data alla polizia?

— Per aiutarli a beccare il tipo che ha ucciso quel letame? Nemmeno per sogno!

— Ma è un caso, Théo, avresti potuto benissimo essere tu.

Ho appena finito di dire questa frase e già non ci credo più.

— Diciamo che non voglio che si metta il caso in prigione, Ben.

— Lascia qui la foto, non te la portare in giro.

Dopo che Théo se n'è andato e ho ficcato la foto in un cassetto del comodino, mi addormento come un sasso. Quando sono immerso nel sonno più profondo, una specie di gorilla con una bocca da inceneritore si prepara una frittura mista di bambinetti che guizzano in padella. È a questo punto che gli Orchi Natale fanno il loro ingresso. Gli Orchi Natale...

23

"HA VISTO LA MORTE IN FACCIA!" strilla la prima pagina del giornale l'indomani. Seguono quattro ingrandimenti di fototessere che occupano tutta la pagina (diamine, è vero, era in funzione la macchina!). I quattro ultimi primi piani del professor Léonard.

L'uomo è più che calvo, capelli rasati e sopracciglia depilate. Ha la fronte alta, liscia, le arcate pronunciate, le orecchie appuntite, la mascella forte sotto guance cascanti, la carnagione pallida, ma forse è l'illuminazione. (Ancora una volta l'impressione di aver già visto quella faccia da qualche parte.) Nella prima foto, la testa è leggermente riversa all'indietro, la bocca diritta e senza labbra sembra una cicatrice nella parte bassa del viso. Sotto le palpebre pesanti, lo sguardo è cupo, freddo, totalmente inespressivo, di una profondità inquietante. L'insieme è rigido, non per mancanza di naturalezza, ma per una deliberata volontà di non esprimere nulla. Nella seconda foto, tutto questo possente edificio di grasso e muscoli sembra in preda a un tremito diffuso, le palpebre si sollevano, rivelando interamente l'iride, trafitto da una pupilla di un nero assoluto che attira irresistibilmente lo sguardo. Le labbra abbozzano un ghigno, il ghigno scava due fossette in cui affonda la massa delle guance. Nella terza foto, il viso esplode. Gli accenti circonflessi delle arcate sopraccigliari si frantumano, la fronte e il cranio sono scossi da ondate, le pupille divorano l'iride, la bocca separa in due il viso con una crepa diagonale, le guance sono come aspirate, qualcosa che assomiglia a una dentiera è scagliato in avanti, tutto è sfocato. L'ultima foto è quella di un morto. Almeno della sua parte visibile. Deve essersi rannicchiato sullo sgabello rotante dopo l'esplosione. Si vede solo l'orbita sinistra, vuota e sanguinante. Parte della pelle del cranio è lacerata.

La mia testa non sta molto meglio, tra le mani di Clara che mi cura.

– Vacci piano con gli impacchi, mi sento un carciofo a bagnomaria.

– Sono appena tiepidi, Benjamin.

L'emozione mi assale, quando la mia sorellina mi chiama Benjamin. È come se allungasse il nome per arginare una sovrabbondanza di affetto.

– Te l'hanno conciata bene, la testa, sai!

– E non hai visto l'interno... Cosa ne pensi di quelle quattro foto?

Clara si china sul giornale e mi dà la sua risposta, tecnica, precisa, la risposta del suo occhio: – Secondo me i giornalisti non sanno neanche quello che scrivono; non è la morte che quest'uomo vede in faccia (tra l'altro, non si è mai vista una bomba che uccide in quattro fasi), è qualcos'altro, qualcosa che tiene in mano, appena al di sotto dell'obiettivo.

(Eh! sì, mia Clarinette, sì, sì...)

– Questa specie di esplosione del viso è avvenuta *prima* che scoppiasse la bomba, Ben.

(Sì, sì, sì.)

– E per quanto riguarda l'espressione, non è un'espressione di dolore, ma di piacere.

A questo punto, la fisso a lungo, la sorellina.

Poi bevo un sorso di caffè, e lascio che lentamente mi invada, prima di chiederle: – Di' un po', se tu vedessi una foto terribile, sconvolgente, qualcosa che non è proprio possibile guardare per tanto tempo, cosa faresti?

Si alza, infila nella borsa il grosso *Manuale di Letteratura*, prende il casco del motorino, mi bacia con cautela e, sulla porta, un istante prima di uscire, risponde: – Non so, penso che la fotograferei.

È alle cinque del pomeriggio, con l'arrivo di Thérèse, che capisco a cosa mi faceva pensare il bel muso mefitico del professor Léonard, quella sensazione di déjà vu...

— È lui, Ben, è lui, è lui!

Thérèse è in piedi davanti a me e Julius, con il giornale in mano, tutta tremante. La voce vibra di un fervore sgomento che annuncia le grandi crisi.

Il più dolcemente possibile le chiedo:

— Chi, lui?

— *Lui!* — Urla porgendomi un libro preso dalla sua libreria.

— Aleister Crowley!

(Ah! sì, Aleister Crowley, il famoso mago inglese, grande amico di Belzebù: Leamington 1875-Hastings 1947, lo conosco...)

Il libro è aperto su una foto del tutto simile alla prima delle quattro foto di Léonard. In ogni caso, molto somigliante. Sotto la foto, questa didascalia: *La Bestia, 666, Aleister Crowley*.

E, sulla pagina a fianco, il testo seguente, dai miasmi sulfurei: *"L'unica legge è: Fa' ciò che vorrai. Poiché ogni uomo è una stella. Ma i più non lo sanno. Gli atei più incalliti sono anch'essi figli bastardi del cristianesimo. Il solo che abbia osato dire: 'Io sono Dio' è morto pazzo, cullato dalla cara Madre armata di crocifisso. Si chiamava Friedrich Nietzsche. Gli altri, gli umanoidi del nostro XX secolo, hanno sostituito Gesù Cristo con Mammone, e le feste con le guerre mondiali. E sono fieri di essere caduti più in basso dei loro predecessori. Dopo i sublimi aborti, i sordidi aborti. Dopo il regno dell'umano troppo umano, la dittatura dell'inframano..."*

— Non è morto, Ben, non è morto, si è reincarnato!

Ci siamo. Partiti.

— Calmati tesoro, è morto e stramorto, trucidato in una cabina delle fototessere.

— No, ancora una volta si è eclissato dietro le *parvenze* della morte, per meglio risorgere altrove e continuare la sua opera.

(La foto dai bagliori di carne morta mi attraversa la mente: "la sua opera"! Sento che sto per innervosirmi.)

— Ben, guarda, si faceva chiamare "Léonard"!

Qui il suo sangue, la sua voce, si ritraggono dietro una paura pallida come uno straccio. Il giornale le scivola di mano, come in un film, e ripete: — Léonard...

Julius fa le linguacce.

— Sì, si chiamava Léonard, e allora?

Comincia a darmi sui nervi.

– E allora, è il nome che veniva dato al Diavolo nelle notti di Sabba.

Il Diavolo, Ben! Mammone! Lucifero!

Adesso, sono fuori di me.

Mi alzo con calma, il libro di Crowley in mano, un'affare rivestito di marocchino verde arabescato d'oro, sul genere biblioteca dell'aldiqua (ho lasciato che Thérèse li ammucchiasse a tonnellate sugli scaffali – "educatore", figuriamoci!). Lo lacero senza dire una parola e lancio le due metà attraverso l'appartamento. Quindi afferro per le spalle la mia povera sorellina Thérèse, la scuoto piano, poi sempre più forte, le spiego con calma, poi sempre più istericamente, che ne ho le palle piene delle sue stronzate astrologico-zodiacali e delle sue satanerie da quattro soldi, che non voglio mai più sentirla parlare di queste cose, che lei è un deplorevole esempio per il Piccolo ("deplorevole", sì, ho detto "deplorevole"), che la riempirò di schiaffi se ricomincia anche una sola volta, *una sola volta*, hai sentito, razza di stupida!

E, come se non bastasse, mi scaglio sulla sua libreria, spazzando tutto con le due mani: libri, amuleti e statuette di ogni sorta passano sibilando sopra la testa di Julius e finiscono in un'esplosione di gesso policromo contro le pareti del negozio, fino a che anche la Yemanja dei travesta rende l'anima brasileira ai piedi di Thérèse impietrita.

Poi mi ritrovo fuori, con il cane. Fuori, per strada. Cammino come un pazzo verso la scuola del Piccolo. Desiderio folle di stringere il Piccolo tra le braccia, lui e i suoi occhiali rosa, di raccontargli la più bella storia del mondo (senza disgrazie, né all'inizio né alla fine), e cerco camminando (gioia ovunque, afferrata senza angoscia) e non trovo niente, fottuta letteratura di merda, realismo di ogni ordine, notte, orchi, fate corrotte! La gente si volta al passaggio dello svitato dalla testa ammaccata accompagnato dal cane che fa le linguacce. Ma anche loro, i passanti, non ne conoscono mica tante di storie che sian tutte rose e fiori! E se la ridono, con la risata carnivora dell'ignoranza, la risata feroce della pecora dai mille denti!

E all'improvviso la rabbia si spegne. Perché una piccola cosa tonda, con gli occhi strabici dietro gli occhiali rosa, si lancia tra le mie braccia.

– Ben! Ben! La maestra ci ha insegnato una poesia bellissima!

(Finalmente! Un po' di ossigeno! Viva la maestra!)

– Me la reciti?

Il Piccolo mi annoda le braccia intorno al collo, e mi recita la bellissima poesia, come recitano tutti i bambini, alla maniera dei pescatori di perle, senza mai riprendere fiato.

> Il était un petit navire
> Où Ugolin mena ses fils,
> Sous prétexte, les vieux vampire!
> De les fair' voyager gratis.
>
> Au bout de cinq à six semaines,
> Les vivres vinrent à manquer,
> Il dit: "vous mettez pas en peine;
> Mes fils m'ont jamais dégoûté!"
>
> On tira z'à la courte paille,
> Formalité! Raffinement!
> Car cet homme, il n'avait d'entrailles
> Qu'pour en calmer les tiraill'ments.
>
> Et donc, stoïque et légendaire,
> Ugolin mangea ses enfants,
> Afin d'leur conserver un père...
> Oh! quand j'y song' mon cœur se fend.*

Jules Laforgue

* C'era una volta una piccola nave, / Su cui Ugolino condusse i figli, / Con il pretesto, vecchio vampiro, / Di farli viaggiare gratis. // Ma dopo cinque, sei settimane, / I viveri vennero a mancare, / Così lui disse: "Non vi preoccupate, / I figli miei non mi han mai disgustato!" // Quindi a sorte tirò. / Formalità! Raffinatezza! / Perché quell'uomo aveva stomaco / Solo per placare i morsi della fame. // E quindi, stoico e leggendario, / Ugolino si mangiò i figli, / Per conservare loro un padre... / Oh! Quando ci penso il cuore mi si spezza.

Vabbé. Ho capito. Per oggi basta. A nanna.

E il Piccolo felice che mi sorride, dietro i suoi occhiali rosa.

Che mi sorride.

Dietro i sui occhiali rosa.

Estasiato.

I bambini sono dei coglioni. Come gli angeli!

Mi metto a letto con quaranta e passa di febbre. Black out totale. Divieto, per chiunque, di venirmi a trovare. Anche Julius. Dato che Clara insiste, le impongo seccamente di pensare piuttosto a consolare Thérèse.

— Thérèse? Cos'ha? Sta benissimo.

(Ecco. Non bisogna mai esagerare il male che si può fare agli altri. Meglio lasciare a loro questo piacere.)

— Clara? Di' a tua sorella che non voglio più sentir parlare della sua magia a meno che non la utilizzi per darmi i prossimi numeri del lotto. Nell'ordine!

Ed è l'ora febbrile dell'autocritica. Cosa ti prende? Lasci che tuo fratello più piccolo rediga una dettagliata cartografia dell'underground omo. L'altro trascura deliberatamente gli studi, parla come uno scaricatore, e tu te ne freghi; spingi l'angelica sorellina a fotografare il peggio del peggio invece di preparare la maturità, quella che traffica con gli astri riceve da anni la tua benedizione, non sei neanche capace di dare un consiglio a Louna, ed ecco che tutt'a un tratto ti spari la gran crisi morale del secolo, con profilo da inquisitore, massacro di idoli e scomunica dell'umanità intera! Cosa c'è? Cosa succede?

So cosa c'è. So cosa succede. Una foto è entrata nella mia vita.

Il racconto crudele è diventato principio di realtà.

Gli Orchi Natale...

Nell'istante in cui arrivo a questa importante scoperta, la porta della mia stanza si apre.

— Sì?

Zia Julia è in piedi sulla soglia. Un sorriso le fluttua sulle labbra. Non mi stancherò mai di descrivere i suoi vestiti. Questa volta, è un abito di lana écru in un pezzo solo, che si incrocia sulla pienezza dei suoi seni. Pesante su pesante. Caldo su caldo. E quella densità così morbida...

– Posso?

Si ritrova seduta al mio capezzale, ancor prima che io abbia potuto dare il mio parere.

– Complimenti! Ti hanno ridotto proprio bene, i tuoi cari colleghi!

Sento lo zampino di Clara dietro questa presenza, ("Vai un po' su a vedere se Benjamin non sta morendo.")

– Qualcosa di rotto?

La mano che Julia mi passa sulla fronte è fresca. Si brucia, ma non la toglie.

Domando: – Julia, cosa ne pensi degli orchi?

– Da che punto di vista? Mitologico? Antropologico? Psicanalitico? Tematica del racconto? O faccio un misto?

Non ho voglia di ridere.

– Dacci un taglio, Julia, digerisci i tuoi concetti e dimmi cosa ne pensi *tu* degli orchi.

I suoi occhi dorati meditano un istante, poi un immenso sorriso mi offre il panorama dei suoi denti. Si china di botto e, vicino all'orecchio, mi mormora: – In spagnolo, amare si dice "comer".

Nel gesto brusco, un seno esce dal vestito. E in fin dei conti, visto che in spagnolo amare è mangiare...

24

– Signor Malaussène, ho tenuto a parlarle in presenza dei suoi colleghi.

Sainclair indica Lecyfre e Lehmann che se ne stanno eretti ai due lati della sua scrivania.

– Affinché possano essere chiaramente espresse tutte le diverse posizioni.

Silenzio. (Io e zia Julia siamo reduci da tre giorni passati a letto. Per me, le posizioni sono chiarissime.)

– Anche se non abbiamo le stesse idee, questo non è un modo democratico di risolvere i problemi.

Lecyfre esprime questa puntualizzazione con tutta la simpatia di cui la sua antipatia è capace. (Le mani e i capelli di Julia scorrono ancora sulla mia pelle.)

– Ma se solo becco uno di quei porci...

Questa è la voce vendicatrice di Lehmann. (Appena io riprendevo le forze, lei perdeva meravigliosamente le sue.)

– È un'aggressione inqualificabile, signor Malaussène, è un bene che non abbia sporto denuncia, altrimenti...

("Come sei bella! Come sei bella! O mio amore estasiato... mio desiderio impetuoso come un carro di Haminabab!")

– Fortunatamente, vedo che si è già quasi ripreso. Certo, il volto è ancora segnato...

(Tre giorni. Vediamo, tre giorni moltiplicati per dodici fanno trentasei. Sì, almeno trentasei volte!)

– Ma così sarà ancora più credibile agli occhi della clientela!

Quest'ultima osservazione di Sainclair provoca il riso degli altri. Ritorno in me e mi associo. Per ogni evenienza.

Dunque, ripresa del lavoro dopo quattro giorni di assenza malattia. Ripresa del lavoro sotto l'occhio delle telecamere umane di Rabdomant. Ovunque io mi trovi in questo fottuto Grande Magazzino, sento i loro occhi su di me. E non li vedo. Piacevolissimo. Passo il tempo lanciando occhiate furtive in ogni direzione, ma niente da fare. Conoscono il loro mestiere, quei due. Dieci volte al giorno, vado a sbattere contro qualche cliente guardandomi alle spalle.

La gente brontola e io raccolgo i pacchetti sparpagliati per terra. Poi "il signor Malaussène è desiderato all'Ufficio Reclami". Il signor Malaussène ci va. Il signor Malaussène continua a sgobbare aspettando con una certa impazienza il giorno del licenziamento: la pubblicazione dell'articolo di zia Julia ritarda un po'. Uscendo da Lehmann passo dalla libreria dove trovo una copia della vita di Aleister Crowley identica a quella che ho stracciato. Il vecchio Risson me la vende dopo un lungo sermone di disapprovazione. Sono perfettamente d'accordo con lui, mia povera Thérèse, questa non è letteratura, ma non importa, cerco almeno di riparare i danni, chiederò a Théo di portarti un'altra Yemanja.

(Sento la risata di Julia: "Non sarai mai padrone di niente, Benjamin Malaussène, nemmeno delle tue collere." Poi, un po' più avanti nella notte: "Anch'io ti voglio. Come porta-aerei, Benjamin. Vuoi essere la mia porta-aerei? Verrò a posarmi di tanto in tanto, per rifare il pieno di sensazioni." Posati bellezza, e vola via quando vuoi, io da questo momento navigo nelle tue acque.)

Non sono solo le telecamere invisibili del commissario Rabdomant a curarmi, tutto il Grande Magazzino non ha occhi che per il mio capoccione arcobaleno. E nel totale, fanno un sacco di occhi. Non vedo più Cazeneuve. Assenza malattia un po' più lunga? il calcio che gli ho mollato! Lo sperma deve essergli schizzato fuori dalle orecchie. Mi dispiace, Cazeneuve. Sinceramente, mi dispiace. (Ennesima risata di Julia nella mia testa: "D'ora in avanti ti chiamerò 'l'altra guancia'.") Ma dove diavolo si sono imboscati i due sbirri? "Il signor Malaussène è desiderato all'Ufficio Reclami..." Vado, vado.

Dopo, farò una visita a Miss Hamilton, giusto per verificare come funziona il mio generatore di desiderio da quando conosco veramente zia Julia.

Da Lehmann, la cliente sta urlando. Un deodorante spray le è scoppiato come una bomba nella delicata manina che ha assunto le proporzioni di un guanto da boxe. Gran numero di Lehmann sulle mie "criminali negligenze". Ma la cliente non ritira il reclamo. Anzi, se potesse conficcare i suoi tacchi a spillo nel cavolfiore lacrimoso che mi funge da faccia... (La vita è fatta così, mio vecchio Lehmann, non si può sempre vincere.)

Dopo la piazzata, passo a fare un salutino a Miss Hamilton. Giusto per sapere se le sue curve suscitano sempre la mia perpendicolare, o se, decisamente, Julia troneggia sulla biblica esuberanza del mio giardino. Salgo un piano dopo l'altro e "cucu, miss, sono io!"

Miss Hamilton mi dà le spalle, tutta occupata a passarsi sulle unghie uno smalto trasparente come la sua voce. La mano sollevata nella luce rivela unghie-nuvole. Ma tutti gli smalti hanno lo stesso odore e un solo sguardo a quella piccola bellezza meccanica è sufficiente ad assicurarmi che non si tratta di Julia. Mi schiarisco comunque la voce. Miss Hamilton si volta. Dio del Cielo! Dio Santissimo! La mia stessa faccia! Sotto il trucco che non serve a niente due coccarde spettrali le chiudono per metà gli occhi. Il labbro superiore è spaccato, gonfio al punto da ostruirle quasi il naso! Gesù, chi l'ha ridotta così? Bruscamente, la risposta gira nella mia testa come una monetina su un piatto, accelerazione dell'evidenza contro cui non si può nulla. Sei tu, imbecille, sei tu, stronzo, ad averla ridotta così! Il corpo di donna, sul marciapiede, era il suo. È lei che hai pestato!

Mi ci vuole un bel po' per riprendermi. Chi gliel'ha data a bere: Malaussène "principio esplicativo", Malaussène "causa evidente", Malaussène Capro-Bombarolo. Chi? Cazeneuve? Lecyfre? E perché lei ci ha creduto? E io che pensavo che avesse un debole per me! Complimenti per la perspicacia, Malaussène! Complimenti! Per esser furbo, puoi proprio dire di essere il più furbo! Sei tu, il responsabile! Tu e il tuo lurido mestiere! Tu e la tua puzza di capro!

Ci guardiamo per un lungo istante, Miss Hamilton e io, così, incapaci di pronunciare una parola, poi due piccole lacrime colano sul suo campo di rovine, e io scappo come il traditore dopo il massacro dei dormienti.

Sono stufo. Sono stufo, stufo, stufo, stufo! (Sono piuttosto stufo...)

Stojil! Sono in quello stato d'animo in cui mi ci vuole assolutamente la presenza di Stojil. Perché Stojilkovitch, le disillusioni le ha conosciute tutte. Tutte. Per prima cosa il Buon Dio, in cui credeva caschi il mondo, e che è scivolato nella sua anima insaponata, lasciandolo in balia dei venti della Storia. Poi l'eroismo della guerra, e la sua assurda simmetria. La santa obesità dei Compagni, in seguito, fatta la rivoluzione. E infine la rognosa solitudine dell'escluso. Tutto è andato in malora, nel corso della sua lunga vita. Cosa gli resta? Gli scacchi (il gioco), benché anche lì gli accada di perdere. E allora? L'umorismo, irriducibile espressione dell'etica.

Passo dunque una parte della notte con il vecchio Stojil. Ma di fare due mosse, neanche a parlarne. Ho troppo bisogno di sentirlo raccontare.

— D'accordo, piccolo, come vuoi.

Mi appoggia una mano sulla spalla e comincia a farmi fare la visita completa del Grande Magazzino. Mi trascina di piano in piano, e, con la sua bella voce profonda, mi parla di ogni minimo oggetto (pentola a tempo, stufato in scatola, scale mobili, libri rilegati, ceri, fiori di stoffa, tappeti persiani) in un modo storico-mistico, come se si trattasse di un monumentale surrogato della nostra civiltà visitato da due Marziani paralizzati dalla saggezza.

Dopodiché, sistemiamo i pezzi sulla scacchiera. Non siamo riusciti a resistere. Ma non sarà una partita seria, sarà una partita chiacchierona in cui Stojil proseguirà il suo monologo di basso lontano e ispirato. Fino a giungere (Dio sa per quale percorso) all'evocazione di Kolia, il giovane killer di tedeschi, quello che è impazzito con la fine della guerra.

— Come ti ho già detto, aveva davvero messo a punto trentaseimila modi di uccidere. C'era il trucco dell'amica incinta e della carrozzina, certo, ma lui si infilava anche nel letto di qualche ufficiale. (Non erano solo le S.A., tra i nazisti, ad amare le facce d'angelo!) Oppure architettava qualche incidente a sorpresa, un'impalcatura che crolla, una ruota d'automobile che si stacca, cose di questo genere. Quando era opera sua, la morte assumeva perlopiù un carattere fortuito, accidentale, colpa della sfortuna, come dite voi, voialtri francesi. Due degli ufficiali con i quali andava palesemente a letto (una specie di Lorenzaccio balcanico, capisci) sono morti di attacchi cardiaci. Non è stata riscontrata alcuna traccia di veleno, alcuna violenza. D'un tratto, altri ufficiali l'hanno protetto dalle indagini della Gestapo. Quasi tutti lo desideravano, e così facendo proteggevano la propria morte. Dovevano averne vagamente coscienza perché lo soprannominavano scherzando: "LEIDENSCHAFTSGEFAHR".

– Traduzione?

– "I rischi della passione", molto tedesco, come vedi, molto Heidelberg! E pian piano è diventato l'incarnazione angelica della morte. Anche per i nostri, che difficilmente lo guardavano in faccia. Suppongo che anche questo abbia contribuito alla sua follia.

L'incarnazione della morte. Passaggio lampo della piccola foto nella mia testa, muscoli tesi di Léonard, cranio appuntito e lucido, gambe del bambino morto... e allora chiedo – Non utilizzava mai esplosivo?

– Sì, delle bombe, qualche volta. La grande tradizione massimalista.

– Allora uccideva degli innocenti? Dei passanti...

– Mai. Era il suo chiodo fisso. Aveva studiato un sistema di bombe direzionali che poi è stato perfezionato dai servizi segreti russi e americani.

– Bomba direzionale?

– Il principio è semplice: fai il massimo fracasso per il minimo dei danni. Un'esplosione fragorosissima per una scarica di schegge di metallo diretta su un obiettivo preciso.

– A che pro?

– Per far credere a un attentato alla cieca quando invece la vittima è prescelta. In caso di indagini, si invoca subito il caso. Avresti potuto essere tu, o io o, visto il rumore, una decina di persone. In genere erano i collaborazionisti a essere eliminati così da Kolia, degli jugoslavi, che lui uccideva tra la folla.

Per un momento, Stojil torna alla nostra partita. Poi, con il tono del giocatore assorto: – E se vuoi il mio parere, il tizio che adesso agisce nel Grande Magazzino non si muove molto diversamente.

25.

Ammettiamo. Ammettiamo che il nostro bombarolo non uccida a caso. Le vittime sono prescelte. La polizia, fuori strada, crede a un folle omicida. Ai suoi occhi, soltanto la fortuna salva i clienti della carneficina. Una volta, d'altronde, due persone sono morte invece di una. Bene. Supponiamo quindi che gli sbirri si stiano sbagliando, imbarcati sulla pista del pazzo che uccide alla cieca. Anche se i laboratori devono pure averle analizzate, queste bombe! Ma vabbé, mettiamo che non siano arrivati a conclusioni soddisfacenti. Domande: Se l'assassino conosce le vittime e se le uccide una dopo l'altra. 1) Perché soltanto nel Grande Magazzino? Obiezione, può anche darsi che le elimini altrove e che tu non ne sappia niente. D'accordo, ma è poco probabile. Quattro vittime in uno stesso luogo rendono questa ipotesi piuttosto fragile. 2) Se l'assassino conosce le vittime e se le elimina una dopo l'altra: loro si conoscono? Probabile. 3) Ma se i potenziali cadaveri si conoscono, perché si ostinano a far compere nel Grande Magazzino? Credo che starei alla larga dalla polveriera se tre miei amici vi fossero stati accoppati. Conclusione: le vittime non si conoscono tra di loro, ma l'assassino le conosce tutte separatamente. (Un tipo capace di farsi degli amici in tutti gli ambienti.) Sia pure... D'un tratto, torno alla prima domanda: perché li fa saltare in aria solo all'interno del Grande Magazzino? Perché non nel letto, a un semaforo o dal barbiere? Nessuna risposta per ora a questa domanda. Si passa quindi direttamente alla domanda numero 4). Come diavolo fa a introdurre i mortaretti nel Grande Magazzino, dove gli sbirri palpano di giorno e vagano di notte? Per non parlare della sentinella Stojilkovitch. Una risposta? Nessuna risposta. Bene, domanda numero 5): COSA C'ENTRO IO IN QUESTA STORIA? Perché è incontestabile, ci sono ogni volta che scoppia una bomba. E ogni volta, ne esco vivo. Di colpo, sudori freddi, eliminazione delle domande 1, 2, 3 e ritorno all'ipotesi di lavoro del commissario Rabdomant. L'assassino non conosce nessuna delle vittime. È con me che ce l'ha, soltanto con me. Vuole incastrarmi fino al midollo. Perciò passa il tempo a seguirmi, e ogni volta che se ne presenta l'occasione, bum! fa saltare in aria qualcuno che mi sta vicino. Ma se me ne vuole al punto da tirarmi dentro un affare così enorme, perché non dinamitarmi personalmente? Mi sembra più cattivo, no? E poi, nel caso, chi è questo tizio? Sbircio nell'abisso profondo della memoria. Non vedo niente. E di nuovo, torno alla domanda number one: Perché compromettermi esclusivamente *all'interno* del Grande Magazzino? Perché la gente non crolla al suolo incrociandomi per strada, perché non esplode in metropolitana, sul sedile di fronte? No, la cosa è legata al Grande Magazzino. Se tutto dipende dalla mia presenza nel Grande Magazzino, basterebbe che me ne andassi perché il massacro cessi, no? Di colpo, domanda numero 6). Perché il commissario di divisione Rabdomant lascia che io respiri questo ossigeno? Per la sola gioia di acciuffare un criminale furbo quanto lui? Possibilissimo. È un ostinato tranquillo, Rabdomant. Si sente sfidato, raccoglie la sfida. Tanto più che non è la sua pelle a essere in gioco. Una piccola partita si sta svolgendo tra il buono e il cattivo al massimo grado. Per ora il cattivo conduce per quattro a zero.

Ecco il genere di domande che continua a porsi Benjamin Marlowe o Sherlock Malaussène, il sottoscritto, lasciando cadere trasognato le braghe in terra. Malgrado l'odore di Julius-Lingua-Pendula, si sente ancora il profumo di zia Julia nella stanza. ("Hai davvero il senso della famiglia incorporato all'anima, Benjamin; sei innamorato di tua sorella Clara da quando è nata, ma dato che la tua morale ti proibisce l'incesto, fai l'amore con un'altra che chiami zia.") Il suo profumo aleggia e io sorrido.

("Che ne sarebbe del mondo se tu smettessi di spiegarlo, zia Julia?") L'occhio di Julius segue le tappe del mio strip-tease solitario. Il cane è accucciato ai piedi del letto. Adesso non mi accoglie più zompandomi addosso. Non salta più all'idea della passeggiata comune. Annusa la zuppa prima di trangugiarsela e posa su tutto ciò che vive uno sguardo carico di saggezza. Ha incontrato Dosto nel viaggio in Epilessia, e Fëdor Michailovič gli ha spiegato tutto. Da allora, se la tira da maturo, il vecchio Julius. Strana impressione. Tanto più che la lingua fuori disegna davvero una faccia da eterno bambino. Ma che puzza! Potrei magari approfittare della sua recente saggezza per insegnargli a lavarsi da solo...

— Eh, Julius, che ne dici?

Leva su di me uno sguardo scazzato, dove posso leggere che la suprema saggezza consiste nel non lavarsi *mai*.

— Come vuoi...

A nanna. Giornata spossante, alla fin fine. Ma che ha in serbo per me ancora una sorpresa prima che mi ficchi sotto le lenzuola. Tirando via il copriletto, scopro un foglio di carta da lettere infilato sotto il cuscino. Vediamo. Che genere di sorpresa? Dichiarazione d'amore o di guerra? La prendo tra il pollice e l'indice, l'avvicino alla lampada da notte e scopro la scrittura di Thérèse, che non mi ha più rivolto la parola dopo la mia terribile sfuriata. È una calligrafia da pennino metallico, perfettamente orlata, assolutamente impersonale, che si giurerebbe viene da un maestro calligrafo della Terza Repubblica. Preoccupazione. Poi sorriso. Thérèse mi manda un segno di pace. Con una punta di umorismo che mi stupisce da parte sua, mi butta lì i pronostici per i prossimi numeri del lotto. Clara mi ha dunque preso in parola.

"Mio caro Ben, sarà il 28, il 3, l'11 o il 7 con una forte probabilità per il 28. Ti abbraccio, Thérèse, tua affezionatissima sorella."

Ok mia Thérèse. Domani giocherò i tuoi numeri. Se Clara prima o poi vende le foto e se Thérèse becca un numero del lotto all'anno, potrò vivere beatamente di rendita... (In fondo, ho un'unica ambizione: far fruttare la famiglia. Io non mi sacrifico, investo.)

Ecco. Mi addormento. Ma solo per risvegliarmi poco dopo. Il subdolo girotondo delle domande, insidiose in un primo tempo, poi sempre più precise, riaccende la mia mente. Coscienza perfettamente chiara. Ripenso alla fotografia ficcata nel cassetto del comodino. Questa volta non sotto gli auspici dell'orrore. No, ci ripenso come a un indizio. L'unico indizio. Che Théo vuole nascondere alla polizia. Non mi va di fregare Théo, ma bisognerà che gli spieghi che così facciamo un gioco pericoloso. Quanto ci si becca per l'occultamento di prove? Ostacolamento delle indagini, complicità forse! Théo, Théo, bisogna dare la foto alla polizia se non vuoi che finiamo dentro. Amo l'ossido di carbonio e il piombo strisciante di questa bella città, Théo, non voglio esserne privato. Ma allora, perché ho tenuto la foto? Perché lui non rischi di passare guai tornando a casa? Non basta. Me la sono tenuta per studiarla più da vicino. Ci ho fiutato qualcosa. Con la mia consueta intuizione. La mia celebre intuizione: quella che mi ha fatto diagnosticare la passione in miss Hamilton. (Mamma mia.) Estraggo dunque la foto dal cassetto e la osservo da vicino. Non avevo notato che il piede destro del bambino era amputato, e tenuto nella mano sinistra di Léonard! E poi, cosa può mai essere quel mucchio ai piedi del tavolo? Un mucchio di vestiti? Non sono d'accordo, Théo, si tratta di qualcos'altro. Ma cosa? Non ho idea. L'ombra sullo sfondo, poi. Sembra abitata qua e là da ombre più fitte. Mio Dio, tutta questa oscurità... e questo bagliore di carne mutilata!

26.

Con le mani strette sui moschetti, gli agenti della Mobile balzarono dentro i blindati. Si udirono sbattere delle porte, poi la lunga stridulazione di un fischietto, e le sirene urlanti emersero dalle fauci dei garages. Già i motociclisti aprivano la strada, in piedi sulle staffe, il culo in fuori come ussari alla carica. Parigi si faceva da parte al loro passaggio. Le automobili atterrite si arrampicavano sui marciapiedi e i passanti saltavano sulle panchine. Tre caserme dei pompieri sguinzagliarono mostri rossi dalle finiture cromate che urlavano più forte delle sirene.

Vi fu anche il lungo grido bianco delle ambulanze e le sciabole degli elicotteri che tranciavano l'aria spessa della capitale. Anche l'edificio rotondo della Televisione sguinzagliò le sue mute, camion-studi e automobili bardate di antenne, subito seguite dai colleghi della carta stampata nelle carrette aziendali e dai fessacchiotti delle radio libere su motorini personali. Tutto convergeva verso sud, in un'eccitazione più che mai professionale. In Place d'Italie, un furgone spuntato dal Boulevard de l'Hôpital si fece un'autopompa uscita dai Gobelins. Blu contro rosso, nessun vincitore, solo un numero eguale di caschi sull'asfalto. Un'ambulanza fece un po' di pulizia e ritornò da dov'era venuta.

Autostrada del Sud: il convoglio urlante creava una specie di aspirazione dove si ingolfava l'esercito dei curiosi, la folla enorme e vispa degli assetati di sangue, che si misero tutti a strombazzare come se fossero a un matrimonio. C'erano da percorrere diciassette chilometri.

Fu questione di un attimo, di un batter d'occhio. Nemmeno il tempo di chiedersi dove si stava andando che già si era là: l'urgenza tendeva l'aria. SAVIGNY-SUR-ORGE. Era lì che succedeva. Più precisamente in quella graziosa casetta coperta di rose, sulla sponda dell'Yvette. Persiane chiuse, gran vuoto attorno, profumo di morte. Silenzio dell'attesa. Di quei silenzi in cui si insinua l'ombra dei tiratori scelti, qui nascosti dietro una macchina, lì su un vecchio tetto di tegole, altrove dietro il cassone di un camion, tutti collegati al capo con dei walkie-talkie, il dito sul grilletto del fucile di precisione, non proprio uomini, solo sguardi e proiettili. Il cronista televisivo, che finora si era tenuto su un ritmo calcistico, adesso sussurrava in un soffio che proprio lì, all'interno della graziosa casetta dai balconi fioriti, si barricava il killer del Grande Magazzino, che pareva avesse preso in ostaggio il vecchio padre. La casa era imbottita di esplosivo, di che far saltare in aria l'intero villaggio, e il quartiere era stato evacuato nel raggio di trecento metri.

Silenzio nel Magazzino dove l'immagine della graziosa casetta si inserì sulla vibrazione colorata di un centinaio di schermi. Dipendenti e clienti, in piedi, muti, lo sguardo fisso, erano tutti riuniti lì, nella sala esposizione dei televisori. Le quattro pareti, tappezzate della stessa immagine, promettevano un epilogo degno della loro attesa. In quell'istante erano le venti e dodici minuti. Tutto era cominciato alle venti zero zero. La polizia aveva scelto di agire in diretta, all'ora del Telegiornale, su tutte le reti, avvertite ancor prima dell'inizio delle operazioni. Il fatto è che l'indiziato era sospettato da tempo. Perché non era stato arrestato prima? si chiese il mormorio del cronista. Fu lui stesso a dare la risposta: si erano accumulati gli indizi finché il fascio costituisse una presunzione di colpevolezza sufficiente a dare l'assalto. Adesso, la resistenza dell'indiziato equivaleva alla più flagrante delle confessioni. La sua colpevolezza, l'aveva d'altronde urlata in faccia al mondo prima di barricarsi. Aveva promesso di far saltare in aria la casa al minimo tentativo di invaderla. Ecco dunque l'attesa. L'Attesa. Soprattutto per un uomo, un uomo solo sul quale poggiava l'intera responsabilità dell'operazione. E la telecamera abbandonò per un istante la facciata fiorita della casetta, scivolò attraverso il no man's land per posarsi su di lui, l'Uomo che Aspettava. Era un ometto vestito di verde scuro. Una giacca forse un po' grande per lui, sembrava più una specie di redingote. Portava la Legion d'Onore, la pancia tendeva il gilet di seta ricamato di api d'oro. Una mano, infilata tra due bottoni del gilet, riposava sullo stomaco, infastidito probabilmente dall'ulcera delle responsabilità. L'altra, la dissimulava dietro la schiena, forse per nascondere le contrazioni delle dita.

I collaboratori si tenevano a rispettosa distanza. Egli non è il tipo del superiore cui si possa disturbare impunemente la meditazione. A testa china, come sotto il peso delle ipotesi, lasciava trasparire da sotto le sopracciglia uno sguardo tenebroso che si indovinava inchiodato alla casa fiorita. Un ciuffo nero e pesante, a forma di virgola, divideva l'ampia fronte bianca.

Che aspettava, a dare l'ordine per l'assalto finale, il commissario di divisione Rabdomant? Aspettava. Per esperienza sapeva che le battaglie si perdono nella precipitazione. E che, finora, i suoi successi, la sua carriera, per non parlare della sua Gloria, li doveva al suo senso innato dell'opportunità. Cogliere l'attimo. L'attimo preciso. Non aveva mai avuto altro segreto. Quindi aspettava. Sotto l'occhio delle telecamere, nel silenzio attento dei suoi collaboratori, di fronte alla casa fiorita, aspettava. Qualcuno gli aveva teso un megafono. Egli l'aveva rifiutato con un cenno. Non era l'uomo delle trattative. Ma dell'Attesa. E del Lampo. D'un tratto, vi fu un sommovimento alle spalle dell'Uomo Solo. Non si voltò. Una 504 decappottabile, 6 cilindri a V, rosa e ammaccata, pericolosa come una *brochet*, fendeva la folla dei giornalisti e dei poliziotti. Si arrestò con un sospiro all'altezza dell'Uomo Solo. Due uomini ne schizzarono fuori, senza nemmeno appoggiarsi alle portiere, che rimasero chiuse. Un duplice balzo felino. La telecamera li inquadrò in volto mentre avanzavano verso il capo. Il più piccolo aveva la bruttezza tormentata d'una iena. L'altro era enorme, calvo, eccetto i due basettoni che finivano a punto esclamativo sulle potenti mandibole. Il primo era vestito da barbone, il secondo da giocatore di golf.

— Jib la Iena e Bas Basetta!
— Esatto, ragazzi.
— Più cattivo di Ed La Bara e più pericoloso di Ceco di Legno!

– Sono proprio loro, Jérémy, li hai riconosciuti.

– Allora?

– Allora cosa?

– Allora il seguito!

– Il seguito domani, alla stessa ora.

– Oh! no, merda, Ben, fai schifo!

– Prego?

– Continua, insomma, non puoi lasciarci così!

– Vuoi che faccia un giretto nel tuo diario scolastico per farti vedere quanto faccio schifo?

(Ahi... tentennamenti.)

Poi Jérémy si volta verso Clara (mirabile capacità di ritrovare il sorriso di quando aveva cinque anni, in caso di urgenza!)

– Clara, diglielo tu.

La voce di Clara: – Dai, Ben...

Ecco, è quanto basta per annientare l'ultimo bunker della mia autorità.

– Allora, il più piccolo e più brutto dei due ispettori (impossibile dire chi fosse il più cattivo) si chinò all'orecchio dell'Uomo Solo. Vi fu un mormorio, e l'ombra di un sorriso aleggiò sul volto del Capo. Un'ombra in cui ciascuno poteva però leggere la certezza della vittoria. Il commissario di divisione Rabdomant dovette solo alzare una mano, far schioccare le dita, e il fedele Caregga sorse, come emerso dalla scatola magica della dedizione.

Per un secondo, tutti gli schermi televisivi furono annebbiati. Tornò ad occuparli la faccia del cronista. L'assedio della casa si annunciava lungo, spiegò, proponeva quindi ai telespettatori di ascoltare il dottor Pelletier, psichiatra di fama mondiale, che avrebbe tentato di delineare per noi la personalità dell'assassino. Il cronista si voltò verso l'ospite, il cui volto apparve sullo schermo. Immediatamente, tutte le fanciulle di Francia furono messe in agitazione, e così le madri. Il professor Pelletier era un giovane – a meno che non fosse stato un uomo mantenuto giovane dalla sapienza – di una bellezza pallida e fragile, e che parlava con una voce dolce, dalle inflessioni pacate, una voce la cui straordinaria profondità ricordava quella del guardiano notturno Stojilkovitch. Egli volle anzitutto rendere omaggio alla grande intelligenza del criminale. Nessuno mai negli annali del crimine aveva messo così a lungo in difficoltà la polizia di un'intera nazione, perpetrando così tante volte lo stesso delitto nello stesso luogo e con gli stessi mezzi. Così dicendo, il dottor Pelletier sorrideva placido, al punto che ci si dimenticò che stava parlando di un temibile assassino: "E, nel caso specifico, una simile intelligenza non mi sorprende, – proseguì, – poiché ho conosciuto l'uomo in questione, nella mia infanzia, tra i banchi di scuola, per parecchi anni, senza mai potergli sottrarre il primo posto. Ingaggiavamo allora un'accanita competizione, quale solo la scuola sa suscitarne, e, in un certo senso, la posizione sociale di cui godo oggi la devo a quell'emulazione. Non ci si aspetti dunque da me un giudizio morale sull'amico di un tempo. Mi limiterò, nella misura delle mie capacità (che, non ne dubito, ancor oggi rimangono alquanto inferiori alle sue), a spiegare il fondamento dei suoi atti apparentemente insensati."

– Clara, un'altra tazza di caffè per favore.
Urla di Jérémy e del Piccolo:
– Dopo, Ben, vai avanti, per favore, avanti!
– Avrò pure il tempo di bermi il caffè, no? Non siamo mica a cottimo! E poi, è praticamente finita.
– Finita? E com'è finita?
– Secondo te come può finire?
– Hanno fatto saltare in aria la baracca con il bazooka?
– Bravo, e con tutto l'esplosivo che conteneva Savigny è stata rasa al suolo. Complimenti alla polizia!
– Sono penetrati in casa da un sotterraneo!
– Piccolo, non si può usare troppe volte la storia del sotterraneo in un racconto, perché alla fine stufa.
– Come, Ben? Finisci quel caffè, Santo Cielo!
– È successo esattamente quello che Bas Basetta e Jib la Iena avevano previsto con la loro mente contorta. Il tizio, il criminale, non era poi questa gran volpe. Non dico scemo come una campana, ma insomma lontano dall'essere un ras dei neuroni come pretendeva il professor Pelletier. Allora quando ha sentito in tivù il medico fargli quel meraviglioso ritratto, ha lasciato la finestra dove stava di vedetta per avvicinarsi al televisore, ov-

viamente. (Dai bagliori bluastri, dietro le persiane chiuse, Jib la Iena aveva sgamato che il tipo stava seguendo la sua personale epopea sul piccolo schermo.) E quando il professor Pelletier (psichiatra come lo sono io, tra parentesi, un vecchio amico dei due sbirri, dai tempi della loro folle giovinezza); dunque, quando il finto psichiatra si è messo a raccontare che erano compagni di scuola, che lui lo ammirava un sacco e via dicendo, quell'altro si è spremuto le meningi chiedendosi: 1) in che anno era, 2) come aveva fatto a dimenticare un così buon amico. Due domande fatali, ragazzi, perché era ancora lì a cercare la risposta quando la calibro trentotto di Bas Basetta gli si è appoggiata sulla nuca. Credo addirittura che in quel momento avesse già le manette di Jib la Iena ai polsi.

— E come hanno fatto quei due a entrare in casa?

— Dalla porta, con il loro passe-partout.

Silenzio. C'è sempre, a questo punto del racconto, un silenzio lievemente angoscioso in cui posso veder funzionare le sinapsi dei pupi dietro gli occhi immobili, sotto le sopracciglia aggrottate. Cercano se non c'è sotto una fregatura, qualche libertà narrativa (ellissi abusiva, vaghezza ingannevole, giochi di prestigio) indegna del mio talento e della loro perspicacia.

— Mi sembra che tutto quadri, Ben. Bas Basetta e Jib la Iena sono fortissimi!

Ah!

— Non era vero niente che era in ostaggio, il padre. Anzi, era per causa sua che il figlio piazzava le bombe al Grande Magazzino.

— Ma va?

Improvviso sobbalzo di tutti e tre, mentre Thérèse adempie senza fare una piega all'umile compito di stenodattilografa.

— Il padre era un inventore e sosteneva che le tre principali ditte per cui lavorava il Grande Magazzino gli avevano fregato le sue invenzioni. Non era del tutto falso, ma non era neanche vero.

— Come sarebbe?

Goduria del narratore.

— Be', era uno di quelli sempre scalognati. Inventava davvero un sacco di aggeggi straordinari (tipo pentola a pressione, penna a sfera...) ma sempre due o tre giorni *dopo* che un altro li aveva inventati (trapassato prossimo, Jérémy, e complemento oggetto diretto davanti all'ausiliare avere). Allora, una volta passi, due pazienza, ma tutta una vita, c'è di che sentirsi vittime di qualcosa. Così ha finito per convincere il figlio che le tre ditte lo fregavano e il figlio ha deciso di vendicarlo mettendo le bombe nel Grande Magazzino. Questo è tutto.

— Cosa stava facendo il padre, quando Jib la Iena e Bas Basetta sono entrati in casa?

— Ascoltava anche lui l'amico Pelletier alla TV! Va detto che il padre non si era accorto che il figlio fosse stato così brillante a scuola. Anzi, a dire la verità, tra loro c'erano solo ricordi di scenate a questo proposito. Allora, il padre ascoltava, per forza, e non riusciva a capacitarsi, si scusava con il figlio. Per tanti anni si era dimostrato così ingiusto! E si scusava piangendo...

27

C'è voluto un po' per mandare a letto i piccoli dopo il racconto. Il torrente della narrazione aveva avviato il gran mulino delle domande. Jérémy chiese, tra l'altro, come aveva fatto il "criminale" (adorano la parola e la preferiscono ad assassino) per introdurre le bombe all'interno del Grande Magazzino. Qui, sono stato colto di sorpresa ed è stata Clara a salvarmi. Rispose che, per ora, non se ne sapeva nulla, ma che il "criminale" sarebbe stato interrogato da un giovanissimo ispettore della Polizia Giudiziaria, un certo Jérémy Malaussène, che, a quanto pare, aveva qualche idea in proposito. "Certo", ha mormorato Jérémy con un sorriso d'intesa, e si è infilato tra le coltri senza domandare altro.

Quando io e Julius facciamo ritorno nella nostra stanza, la troviamo tirata a lucido, come non era mai più stata da anni. Si sente appena l'odore di Julius mentre è scomparso del tutto il profumo di Julia. Clara, che ci è venuta dietro con il pretesto di tartassarmi su un sonetto di Baudelaire che non capisce molto bene, si scusa sorridendo.

— Era troppo tempo che non si facevano le pulizie, Ben, così ho approfittato di un buco nei miei impegni.

All'improvviso, il ricordo della fotografia mi salta in mente. Ieri notte l'ho lasciata sul comodino, e stamattina ho dimenticato di nasconderla nel cassetto. Un'occhiata. Ovviamente la foto non c'è più. Un'occhiata a Clara.

Due lacrime tremolano.

– Non l'ho fatto apposta, Ben.

(Pezzo d'imbecille, lasciare in giro una cosa simile...)

– Ben, scusami, davvero non volevo...

Ora non sono più due lacrime a spuntare, sono forti singhiozzi che la scuotono, di cui mi chiedo stupidamente se siano causati dal ricordo dell'orrore o dalla vergogna dell'indiscrezione.

– Ben, dimmi qualcosa...

Eh, già. Dire qualcosa.

– Clara...

Ecco. Ho detto qualcosa. Da quanti anni non piango, io? (Voce della mamma: "tu non hai mai pianto, Ben, in ogni caso non ti ho mai visto piangere, nemmeno quando eri piccolo. Ti è già successo di piangere?" – No, mammina, mai fuori dal lavoro.)

– Ben...

– Ascolta, Clarinette, è tutta colpa mia. Quella foto dovrebbe essere sotto gli occhi della polizia in questo momento. L'ha trovata Théo. Piangeva come te mostrandomela. Ma non voleva che si arrestasse il tipo che ha vendicato il bambino morto... Clara, mi ascolti?

– Ben... l'ho fotografata.

(Bene, ci mancava anche questo. Per forza, dal momento che l'ha vista...) Clara tira ancora un po' su col naso. Si asciuga le lacrime.

Un giorno, le ho chiesto da dove nasceva (a parte la passione fotografica propriamente detta) la sua abitudine di fotografare il peggio quando lo incontrava per strada. Lei mi ha risposto che era come quando da piccola io le mettevo nel piatto qualcosa che non le piaceva. "Non ti dicevo mai che era cattivo, Ben, ma meno mi piaceva – l'indivia per esempio, con quel sapore amaro – più lo *gustavo* attentamente. Per *sapere*, capisci? Non è che dopo mi piacesse di più, ma dal momento che sapevo il perché potevo mangiare senza scocciarti con dei capricci. Be', con la fotografia è un po' la stessa cosa, non saprei spiegarmi meglio."

E allora, Clara, adesso che l'hai fotografata questa foto, tu *sai*? E cosa puoi mai sapere, povero tesoro?

– Clara, è orribile che tu l'abbia vista.

– No, se può servire a qualcosa.

A questo punto, ha cambiato tono. È di nuovo la voce dolcemente precisa.

– Ho fatto qualche ingrandimento.

(Dio del Cielo.)

– Su alcuni, ho attenuato i contrasti, su altri li ho accentuati.

(Ecco, parliamo da tecnici.)

– Ci sono tre cose curiose. Vuoi vedere?

– Certo che voglio vedere!

(Non ti lascerò sola in questo bianco e nero.)

Due secondi dopo, una dozzina di ingrandimenti sono sparpagliati sul letto. Brandelli d'ombra, piedi del tavolo, il mucchio in terra, alcuni negativi sempre più sbiancati, altri sempre più anneriti. E, dettaglio significativo: nemmeno una particella dei due corpi sopravvive! Come se non fossero mai apparsi sulla foto. Completamente cancellati! Tanto più sorprendente dal momento che l'occhio di Clara sembra aver colto davvero *tutto*, a parte il bambino morto e l'assassino. L'orrore degli orrori cancellato dallo sguardo dell'angelo. Ed è quasi con il tono allegro di un indovinello che Clara domanda: – Secondo te, cos'è quel mucchio ai piedi del tavolo?

– Io e Théo ci siamo già posti la stessa domanda.

– Guarda bene, non ti ricorda niente?

– Clara, Santo Cielo, cosa vuoi che mi ricordi?

– Guarda...

Estrae dalla cartella un pennarello rosso, e, come una bambina, segue con applicazione il limite dove la grossa massa d'ombra che costituisce il mucchio si fonde nell'oscurità della stanza vera e propria. Così facendo, lei disegna una forma. Le punte e le protuberanze finiscono per essere unite da un contorno. E più il contorno scontorna, più la cosa, in effetti, assume un significato, un significato che mi è familiare. C'è un ventre gonfio, un collo rigido, orecchie appuntite, una bocca spalancata su una lingua in fuori che fa pensare a Guernica di Picasso, l'abbozzo di una zampa, la sagoma di un cane!

– Julius?... Julius!

Colpo di cembali nel mio spazio-tempo.

– Cosa diavolo ci fa Julius in questa foto?

– Non è Julius, ovviamente, è un altro cane, Ben, ma *nelle stesse condizioni di Julius all'epoca della paralisi!*

Adesso c'è qualcosa dello Sherlock Holmes incocainato nell'eccitazione della mia sorellina.

– E allora, Ben, questo porta a un'altra constatazione!

– Constata, tesoro, constata.

– La scena fotografata si è svolta *dentro* il Grande Magazzino, nello stesso posto in cui Julius ha avuto l'attacco.

– Cosa te lo fa dire?

– Quando Julius è passato davanti a quel posto, avrà fiutato qualcosa.

– Stai scherzando, questa foto ha almeno vent'anni!

– Quaranta, Ben, risale agli anni quaranta. È dagli anni cinquanta che non si rifilano più le foto con quel tipo di taglierina! D'altronde, basterebbe fare uno studio dell'invecchiamento dei sali per averne la conferma...

Parola mia! La sorellina preferita mi si è trasformata in un laboratorio di polizia!

– Ma c'è un problema...

– Sì?

– Non era la prima volta che Julius veniva a prenderti al Grande Magazzino dopo la tua partita a scacchi.

– No, perché?

– Come mai allora ha avuto l'attacco solo quella notte?

Rivedo il malvagio dalle sopracciglia cespugliose mentre mi impedisce di passare dalla porta della mensa e mi ordina di scendere dalla scala mobile.

– Perché di solito facevamo un altro giro. Era la prima volta che passava di lì.

– Ed è successo davanti al reparto giocattoli, no?

A questo punto, la guardo come se cominciasse davvero a mettermi paura addosso.

– Come fai a saperlo? Non te l'ho mai detto.

– Guarda.

Nuova passeggiata del pennarello rosso su un ingrandimento sbiancato. Disegna da solo una forma muscolosa che si erge, lievemente di sbieco, fino al soffitto. Altri due tratti raffigurano la piega di un cappuccio, quindi l'incresparsi di una barba. È uno dei Babbo Natale di stucco che, da più di cent'anni, reggono saldamente i piani del Grande Magazzino sopra il reparto giocattoli.

– Non ce ne sono altrove nel Grande Magazzino, Ben. (Blow-up, la foto che parla...)

– Clara, è tutto?

– No, Léonard non era solo.

– C'era almeno quello che lo fotografava.

– Quello e alcuni altri.

Tre o quattro, secondo il nuovo tragitto del pennarello rosso nelle oscure profondità della vecchia foto. E forse altri, fuori campo.

– Ok tesoro, basta così. Adesso mi nascondi accuratamente tutta questa roba, e domani stesso restituisco a Théo la foto perché la mandi alla polizia.

28

– Nemmeno per sogno, mi venisse un accidente!

Detto sbattendo con una tal violenza la forchetta sul piatto e urlando così forte, nonostante la volontà di trattenersi, che i clienti più vicini sobbalzano e si girano.

– Che ti prende, Théo? Guarda, hai rotto il piatto.

– Ben, non insistere, non darò mai la foto agli sbirri.

Il sedano in salsa remolata si spande come una colata di gesso sulla tovaglia a quadrettini.

– Sai cosa si rischia?

Théo cerca con discrezione di riattaccare i due pezzi del piatto. Adesso, tra il piatto e la tovaglia, il sedano funge da cemento.

– Tu non rischi niente. Non devi far altro che buttar via gli ingrandimenti di Clara. È tutto. Quanto a me...

Rapida occhiata: – ... la cosa mi riguarda.

Ha sibilato la frase tra i denti, in un mormorio feroce, sistemando la sinistra fotografia nel portafoglio. Adesso sono io a guardarlo con aria interrogativa, rigirandogli la domanda dell'altra sera: – Théo, sei immischiato in questa storia di bombe?

– Se lo fossi, non ti avrei mostrato la foto.

Gli è venuta spontaneamente, ed è vero. Se ci fosse in mezzo, non avrebbe cercato di compromettermi sbattendomi una prova sotto il naso.

– Sai chi è? Stai coprendo qualcuno?

– Se sapessi chi è, lo proporrei per la Legion d'Onore! Bastien, portami un altro piatto, che questo l'ho rotto!

Bastien, il cameriere, si china ridacchiando.

– Lite coniugale?

Sono mesi che ci prende per una coppia, quell'idiota.

– Piantala di dire stronzate e portami qualcosa di solido! Senza sedano in salsa remolata! Mi sai dire chi è il francese profondo che ha inventato il sedano in salsa remolata?

Strigliato, Bastien pulisce il tavolo e brontola.

– Nessuno ti obbliga a ordinarlo!

– E invece sì, la curiosità! Il gusto per gli esperimenti. Ci sono momenti, nella vita, in cui si vuole credere ai propri occhi, no?

Tutto questo detto con insistente cattiveria.

– No? Sì o no? Un porro alla vinaigrette, per favore!

Visione del grosso culo di Bastien, che si allontana imprecando.

– Théo, perché ti rifiuti di mandare la foto alla polizia?

Lui riporta tutta la sua collera su di me, ed è lì lì per mandarmi a farmi fottere: – Li leggi ogni tanto i giornali?

– L'ultimo che ho letto era quello con la morte di Léonard in prima.

– Bene, hai avuto culo a poterlo leggere, si vede che era un numero della prima edizione. La seconda è stata sequestrata.

– Sequestrata? Perché?

– La famiglia del defunto. Violazione della vita privata. La telefonata giusta e in due ore sono riusciti a far sequestrare tutte le copie in vendita. Dopodiché hanno attaccato la direzione del giornale, citandola in giudizio, e stamattina hanno appena vinto il processo.

– Così in fretta?

– Così in fretta.

Discreto passo strisciato dell'enorme Bastien, il porro alla vinaigrette è in tavola.

– E allora? tutto questo non spiega perché tu voglia tenerti quella foto.

Sguardo costernato.

– Ma cos'hai nella testa? Del sedano in salsa remolata? Ben, ti rendi conto del potere di quei porci di culi netti? È bastata una telefonata e sono riusciti a far sequestrare il quotidiano che aveva osato pubblicare le foto di quello stronzo che si trastullava!

144

(Perché questo almeno l'avevi capito, no? Quello che rappresentavano le quattro fototessere.) Dopodiché, processo lampo e il giornale è costretto a sborsare una cifra enorme. – Cosa succede adesso se mando questa foto alla polizia?

– Mettono a tacere la faccenda.

– Ordine venuto dall'alto, alla buon'ora, sei meno rincoglionito di quanto temessi. E vuoi che ti racconti il seguito?

Si sporge bruscamente in avanti al di sopra del piatto, dove annega la sua cravatta.

– Eccolo il seguito: con quest'indizio d'oro tra le mani, gli sbirri capiscono l'essenziale: *il movente*. Finora avevano seguito la tesi del pazzo che uccide a casaccio. Adesso sanno. Sanno che una banda di porci sataneggianti si è dedicata un tempo – forse si dedica ancora – a infami messe nere con tanto di sacrificio umano e lungo corteo di torture annesse sul corpo di *bambini*, signore, *bambini*!

Adesso è in piedi davanti a me, con i pugni sul tavolo, la cravatta che si srotola dal piatto e gli sale fino al collo come una corda da fachiro, nella posa stessa dell'urlo di rabbia, e invece mormora, mormora, mentre le lacrime gli tremano di nuovo sull'orlo delle palpebre.

– La cravatta, Théo, guarda la cravatta, siediti...

– E contemporaneamente la polizia capisce tutto il resto. Qualcuno li ha scovati, quei porci sacrificatori, e li stecchisce, uno dopo l'altro, metodicamente, e il qualcuno li stenderà tutti se la polizia non si dà una mossa. Ora, alla polizia piacerebbe che il vendicatore sbrigasse il lavoro al posto suo, solo che, ecco, la Polizia è un'istituzione, e deve *funzionare*, capisci? E poi c'è un'altra cosa: i funzionari funzionanti sono anche uomini, gente come te e come me (insomma, non proprio come me), con una curiosità, una propria *curiosità*, Ben, e darebbero dieci anni di pensione per incastrarne uno, uno solo di quei mangiabambini, giusto per vedere cos'ha nelle budella, giusto per capire! E allora, secondo te, cosa gli succederà, all'orco superstite?

– Passerà il resto della sua vita in galera.

– Esatto.

Théo si risiede, slaccia la cravatta e la piega con cura.

– Esatto, in una cella così buia che nessuno saprà mai niente di lui, senza processo, ci scommetto le palle, in galera, così, di filato, perché un tale scandalo, signore, non può infangare gente dal telefono efficace come i Léonard.

– E le famiglie dei bambini?

Trascorre un lungo istante, durante il quale Théo contempla il porro alla vinaigrette come se fosse l'oggetto più difficile da identificare che abbia mai visto in vita sua. Poi: – Secondo te, Ben, cos'è un orfano?

(... "che non c'aveva il papà, che non c'aveva la mamma"... sento canticchiare sinistramente nella mia testa.)

– D'accordo, Théo, è qualcuno che nessuno cerca.

– Sissignore.

L'ostinazione con cui fissa quel porro!...

– Sì, Ben. E un orfano è la credulità in persona. È qualcuno con un solo desiderio: trovare qualcun'altro, seguire i signori che offrono le caramelle. Ora, quei signori vanno appunto pazzi, per gli orfani.

C'è in lui qualcosa che fa uno sforzo disperato per non pensare più di quel che dice, una fissità di tutto l'essere: l'immagine dell'uomo che lotta contro le immagini.

Il coltello stuzzica il porro con circospezione, come se si trattasse di una cosa ignobile, morta di recente, o non ancora viva.

– Quando dico "orfano", limito il campo. Bisognerebbe dire "abbandonati". Il nostro delizioso mondo ne fornisce a iosa, di bambini abbandonati, di cui tutti se ne fregano, comprese le istituzioni che dovrebbero accoglierli: piccoli negretti sfuggiti a qualche altro massacro, giovani gialli alla deriva, scappati da casa, fuggiaschi, generazione spontanea dell'asfalto, non c'è che da servirsi... Io non darò la foto alla polizia.

Una pausa, durante la quale Théo capovolge il porro, il porro che assume una densità di annegato.

– E poi, ti dirò, gli sbirri non tarderanno a beccarlo, il nostro vendicatore. Non sono così stupidi, hanno i mezzi, non devono aver perso molto tempo sulla falsa pista del caso. È una gara di velocità. Zorro ha ormai solo una mezza lunghezza di vantaggio, forse meno. Probabilmente non farà in tempo a stenderli tutti. Allora non sarò certo io ad aiutare la polizia a beccarlo. Oh no! non io.

E infine, dopo un'ultima occhiata alla pallida cosa che giace nel suo piatto, verde e bianco fusi nella madreperla di un olio denso su cui ristagnano gli occhi immobili dell'aceto...

— Ben, ti prego, andiamocene, questo porro mi ha fatto secco.

29

È successo stamattina, subito prima della telefonata di Louna. Uscivo da Lehmann, e avevo appena fatto un giro alla libreria del primo piano per verificare uno di quei dettagli apparentemente insignificanti, ma che fanno fare un bel balzo in avanti alle inchieste e permettono di economizzare le pagine.

Volevo giusto chiedere al vecchio signor Risson da quanti anni lavorasse al Grande Magazzino.

– Quest'anno fanno quarantasette anni! Quarantasette anni a battersi, signore, in difesa delle Belle Lettere per poi vendere giusto quel che capita. Ma, grazie a Dio, sono sempre riuscito a mantenere un settore letteratura!

Quarantasette anni di bottega! Non gli ho chiesto a che età avesse cominciato, ho continuato a rovistare, a sfogliare, insomma a legittimare il suo orgoglio. Ho fatto una puntatina ne *La morte di Virgilio*; ho sfiorato un'edizione rilegata del *Manoscritto trovato a Saragozza* e infine ho chiesto: – Quanti Gadda ha venduto nella riedizione tascabile?

– *Quer pasticciaccio brutto de via Merulana*? Neanche uno.

– Bene! Ne ha appena venduto uno. Devo fare un regalo.

La sua bella testa bianca ha fatto un cenno di approvazione, del genere "giusto e severo".

– Alla buon'ora! Questo sì che è un libro! Altro che le sue elucubrazioni su Aleister Crowley!

– Anche quello era un regalo, signor Risson, tutti i gusti non sono gusti.

– E non c'è abbastanza disgusto, se vuole il mio parere.

Mentre mi faceva il pacchetto (sembrava avere l'eternità davanti a sé), ho cominciato ad entrare in tema: – Lei non va mai in vacanza? Mi sembra di averla sempre vista nel suo reparto.

– Le vacanze son fatte per la sua generazione frenetica, ragazzo mio, io invece procedo pian piano e chiudo solo quando chiude il Grande Magazzino.

L'occasione era troppo buona, l'ho subito afferrata: – E quante volte ha chiuso, il Grande Magazzino, in quarantasette anni?

– Tre volte. Una volta nel '42, una volta nel '54, quando è stato sopraelevato il 6° piano, e una volta nel '68, durante quella pagliacciata.

(Durante quella "pagliacciata"...)

– E nel '42, qual è stata la causa della chiusura?

– Cambiamento di direzione, gestione e mentalità, direi. Il precedente consiglio di amministrazione era formato perlopiù da ebrei, non so se mi spiego. Ma era un'epoca in cui si sapeva quel che spetta di diritto ai veri francesi!

(Prego?)

– E per quanto tempo è rimasto chiuso, il Grande Magazzino?

– Sei mesi buoni. Quei "signori" cavillavano, capisce. Grazie a Dio, la Storia ha poi deciso.

(Se Dio esiste, ti cagherà addosso quando sarà il momento, lurido stronzo!)

– Sei mesi abbandonato?

– E debitamente sorvegliato dalla Milizia perché i topi non venissero a svuotare la nave.

(Dire che fino a oggi trovavo il vecchio maiale deliziosamente simpatico, il nonno che non ho avuto, e tutta una sbrodolata nostalgica...)

Gli ho tolto dalle mani il mio povero Gadda, ripromettendomi di disinfettarlo, e ho detto: – Grazie infinite, signor Risson, se capita tornerò a fare due chiacchiere con lei.

– Sarà un piacere, i giovani educati si fanno sempre più rari.

Mi è successo sulla scala mobile. La spada di fuoco attraverso la testa. Un dolore totale. Allietato da una visione grottesca sorta da Chester: un Negro enorme, che corre nella notte newyorchese, con un coltello piantato nella tempia e la cui lama rispunta dall'altra parte. Poi il dolore si è placato ed è tornata la sordità. Niente più frastuono, niente più musica di sottofondo, più niente. Ma troppo tardi. Avevo fatto in tempo a sentire il nonno dei miei sogni rimpiangere il buon tempo andato. Porco mondo, com'è possibile che con un tale mucchio di merda al posto del cervello quella deiezione umana ami Gadda, Broch, Potocki, e sia d'accordo con me su Aleister Crowley? Quando mai capirò qualcosa di qualcosa? Comunque, avevo la data. 1942. Se qualcosa era successo nel Grande Magazzino, era nei sei mesi di quell'anno. Di giorno o di notte? Di notte, a giudicare dalla foto. Di notte. In un grande magazzino sorvegliato dalla Milizia.

Ero preso da queste riflessioni quando le ho finalmente individuate.

Le mie due telecamere viventi.

I quattrocchi del commissario Rabdomant.

Mi sono saltati all'occhio con una tale evidenza che mi sono chiesto come avevo fatto a non notarli prima. L'alto e il basso. Il grasso e il magro. L'elegante e il barbone. Il calvo e l'irsuto. Bas Basetta e Jib la Iena. Quasi. Insomma, con tutta la distanza che la vita mette tra realtà e finzione, qualunque cosa si faccia. Però, non averli notati prima! Quei due! Con quell'aria goffa e ridicola! Uno era nascosto dietro l'espositore pelletteria lusso, era il grosso, e l'altro, Mister Hyde, a quindici metri da lì, intento a divorare una pasta al cioccolato dietro pizzi per signora. Ero talmente stupito che non potevo più toglier loro gli occhi di dosso. Hanno capito subito di essere stati beccati e, parola mia, non erano meno stupiti di me. Allora siamo rimasti a fissarci per un po', finché all'improvviso il grosso si è acceso in volto e mi ha fatto un breve cenno del capo che ho subito capito. Umiliato come un pidocchio, ma forte come un bulldog. Mi sono scosso e ho guardato altrove. Tra i due, per essere precisi, in modo da evitare il golosone e la sua pasta. E la vicenda si è ulteriormente complicata perché dietro di loro, a una decina di metri, c'era, proprio di fronte a me, il reparto armi. Con le rastrelliere dei fucili, l'arsenale completo delle pistole lanciarazzi, dei coltelli trincianti, dei fischietti a ultrasuoni, delle trappole dentate, di tutte le piccole meraviglie che fanno brillare l'occhio del cacciatore, colui che ama e conosce veramente la natura! Ce n'era giusto uno al bancone, un ecologista in tenuta mimetica. Sulla cinquantina, era accompagnato dai suoi pargoli, due adolescenti pericolosamente lindi, e tutti e tre discutevano dei meriti di un fucile ad aria compressa dai riflessi azzurrognoli, che si passavano di mano in mano, spianandolo veloci e tracciando brevi curve nel loro cielo, per poi assentire con un cenno del capo, da conoscitori quali erano sin dalla culla. Il commesso, tutto un sorriso, aveva trovato con chi comunicare. Era talmente contento di avere clienti così informati che i suoi occhi non tenevano più tutto il bancone. È stato allora che ho visto la mano tuffarsi nella scatola di cartone grigio ed estrarne due cartucce, con grande naturalezza, senza nemmeno nascondersi. La mano apparteneva a uno dei vecchietti di Théo, davvero piccolo, e assolutamente vecchio. L'ho riconosciuto, ovviamente, e lui ha riconosciuto me, e mi ha mostrato (mi tagliassero la testa!) in modo chiarissimo le cartucce con un sorriso d'intesa, prima di ficcarle nella tasca sinistra del camice grigio. Un gesto che ho visto tre volte: una prima volta era la scatola nera di un telecomando, mentre Cazeneuve raccoglieva l'AMX 30, un'altra volta un vibromassaggiatore... e la terza volta... no, la terza volta, era un movimento di torsione dato a un rubinetto di rame...

Ho subito riportato lo sguardo sui due sbirri che mi fissavano come se fossi il re degli impacciati a rimanermene lì, con lo sguardo perso nel vuoto. Il più piccolo ha sollevato il sopracciglio e ha alzato la spalla. "E allora, amico, la tua giornata si è fermata?" Era questo che voleva dire. Ho di nuovo guardato con insistenza lo stand delle armi. Allora i due si sono voltati. Ma il vecchietto era scomparso. Ho provato una specie di sollievo.

Due minuti dopo, sempre sordo, ero immerso nelle acque profonde del sotterraneo, navigando alla ricerca di Gimini Cricket. Proprio così, Gimini Cricket! Aveva proprio il buon muso simpatico, camuso e liscissimo a forza di arcivecchiaia di Gimini Cricket! I miei due sbirri pattugliavano poco lontano, non potevo fare a meno di *vederli* come se i miei occhi fossero stati calamitati dalla loro evidenza professionale.

E che faccia facevano! Ogni volta che incontravano il mio sguardo. Tutte le minacce del mondo erano dipinte su quei due grugni disfatti.

E più nessuna traccia di Gimini. Per la prima volta, mi sono reso conto di quanto fossero numerosi i camici grigi di Théo. E simili, nella loro vecchiaia. Innumerevoli, simili e solitari. Senza alcun contatto gli uni con gli altri, questi vecchietti di oggi. Théo! Bisogna avvertire Théo che uno dei suoi pupilli ha fregato delle munizioni allo stand dell'artiglieria!

Théo era occupato a consigliare una signorona stile cantante lirica, nell'angolo della carta da parati. I grossi anelli della signora esprimevano i suoi desideri, e la testa di Théo approvava, approvava sempre. E gliel'avrebbe rifilata, eccome, la sua carta da parati, uno strato sull'altro!

Così ho fatto rotta su Théo, ma non ero neppure a metà del tragitto che tre eventi simultanei hanno scombussolato il mio programma. Anzitutto la nitida visione di Gimini, a una decina di metri da me, che svuotava la polvere delle cartucce nell'astuccio metallico di una punta di trapano, un occhio al suo lavoro, l'altro su di me, con un sorriso complice, e impossibile da avvistare per i due sbirri, perso com'era tra una mezza dozzina di vecchietti identici, tutti in pieno fai-da-te. Quindi, una potente pacca sulla mia spalla che ha provocato un "plop!" nella mia testa, e infine la voce tonitruante di Lecyfre che ha riempito tutto il volume del mio cranio sturato.

– E allora, Malaussène, che fai, dormi? Sono cinque minuti che gli altoparlanti ti chiamano al telefono! È urgente, tua sorella, credo.

– Ben?
– Louna?
– Ben! Oh! Ben!
– Che succede, Louna? Che c'è? Calmati...
– Jérémy.
– Cosa, Jérémy? Louna, tesoro, calmati.
– C'è stato un incidente a scuola, bisogna che tu vada subito. Ben... Oh! Ben...

30.

— Fortunatamente, suo fratello era solo in classe.
("Fortunatamente...")
Il cortile interno della scuola è tutto una pozzanghera
fumante, dove giacciono le carcasse torturate di quanto
resiste a un incendio. Lunghi tubi molli serpeggiano tra i
rottami. Un acre odore di plastica liquefatta ristagna
nell'umidità diffusa. ("Ma la cosa veramente intollerabile, vede, sono i grandi ustionati... un odore che non ci si
toglie più di dosso... ti resta nei capelli per quindici giorni...") Immagine sonora del piccolo pompiere nella mia
testa, e le mie narici che lavorano, lavorano per persua-
dermi che no, tra gli odori cupi, nessuno è un odore di
carne bruciata. Due idranti finiscono di inondare i rottami calcinati. Le tre aule sono interamente bruciate.
— Materiale prefabbricato...
Una di quelle porcherie fatte di cartapesta, sì, che si
infiammano alla minima scoreggia. I piedi dei tavoli, le
strutture metalliche, fusi sotto l'effetto del calore, si sono
aggrovigliati formando figure grottesche. Tenuti a distanza dai pompieri, i ragazzi oscillano tra il lutto, la
beffa e il ricordo ancora vivo dello spavento.
— Grazie al cielo è successo durante la ricreazione.
("Grazie al cielo...")
Uno dei camion rossi comincia a riavvolgere i suoi tu-
bi. La stupida visione di una forchetta che arrotola degli
spaghetti mi attraversa la mente.
— Si era isolato.
Spaghetti trascinati nella salsa nerastra della seppia.
In quale regione d'Italia fanno questo piatto...?

– L'incendio era troppo sviluppato quando ci siamo resi conto...

– Perché lui non faceva la ricreazione con gli altri?

– Non glielo saprei dire.

– Non me lo saprebbe dire?

– Credo che fosse, voglio dire che sia un bambino molto indipendente. (Non saprebbe dire, crede, vuol dire...)

– Il fuoco ha preso molto in fretta...

– Sì, sì, lo so, in fretta, come un fiammifero, un fiammifero che, per un pelo, avrebbe potuto dar fuoco a un centinaio di marmocchi. Ma "fortunatamente", lì dentro c'era solo il mio Jérémy.

– Fortunatamente, eh?

– Prego?

– Lei ha detto "fortunatamente", no? E "grazie al cielo"...

– La prego di scusarmi.

I suoi occhi assumono improvvisamente la dimensione dei suoi occhiali. Mi rendo conto che mi sono alzato in piedi davanti a lui, mi sono chinato su di lui, e lui si è rannicchiato nella sua poltrona.

Al che, squillare del telefono. Lui alza precipitosamente la cornetta, senza togliermi gli occhi di dosso.

– Pronto, sì? Proprio quello lì... sì?

("Proprio quello lì..." "Fortunatamente"... "Grazie al cielo"...)

– Ospedale Saint-Louis, sì, alle urgenze, certo, la ringrazio infinit...

Non sono più nel suo ufficio quando riattacca.

Laurent mi ha preceduto al Saint-Louis. Quando arrivo è in piena discussione con un piccolo dottore bruno dall'occhio vispo. Appena li intravvedo, cerco di leggere sui loro volti. Ma non vedo altro all'infuori di quello che è possibile leggere sulle facce dei professionisti quando si trovano tra loro. Il biondo alto e il piccolo bruno, pappa e ciccia sin dalle prime parole. La fratellanza della gran scienza. E tutto ciò... Spettacolo che del resto mi rassicura abbastanza. Se Laurent viene a patti con questo medico, vuol dire che Jérémy è in buone mani.

– Ah! Ben, ti presento il dottor Marty.

Scuotiamo le zampe.

– Non perda la testa, signor Malaussène, suo figlio se la caverà.

– Non è mio figlio, è mio fratello.

– Questo non cambia nulla alle sue condizioni di salute.

Gli è venuta spontaneamente, senza un sorriso, senza distogliere lo sguardo da me. Ma, dietro i suoi occhiali, vedo un bagliore allegro, quanto mai rassicurante. Raffazzono un sorriso e gli chiedo: – Posso vederlo?

– A condizione che si presenti con una faccia migliore. Non voglio che lo butti giù di morale.

Strano tipo, il Marty. Ha parlato con lo stesso tono flemmatico, vagamente allegro, ma sono convinto che se non cambio faccia non vedrò Jérémy.

– Se mi potesse dire cos'ha...

– Ustioni varie, l'indice destro sezionato, una fifa dell'altro mondo, ma si rifiuta ostinatamente di svenire. Ha deciso di far divertire le infermiere.

– Il dito tagliato?

– Glielo rimetteremo a posto, in quattro e quattr'otto.

Strana faccenda, la fiducia. Anche se a Jérémy si fosse staccata la testa, qualcosa mi dice che il piccoletto simpatico dal linguaggio preciso gliela rimetterebbe tranquillamente sulle spalle. L'incarnazione della competenza. E qualcos'altro, una specie di umanità...

– Bene, la mia faccia le aggrada ora?

Mi squadra a lungo, poi, voltandosi verso Laurent: – Che cosa ne pensa, Bourdin?

È nudo in mezzo allo spazio. Il corpo è disseminato di chiazze con piccole croste sui bordi. Le labbra e l'orecchio destro hanno assunto le proporzioni di maschere carnevalesche. Il cranio gli è stato completamente rasato. E quando entro nella stanzetta asettica, l'infermiera che lo veglia è piegata in due dal ridere. Ma, a guardar meglio, ci si accorge che contemporaneamente sta piangendo. Lui tiene banco, indefesso, senza muoversi di un pelo. Ha un corpo piccolo piccolo. È davvero un bambinetto, se non si tiene conto del volume della sua parlantina.

Devo avvicinarmi perché si accorga della mia presenza. Allora sorride e il sorriso degenera in una smorfia di dolore. Poi tutti i lineamenti riprendono il proprio posto, con precauzione, si direbbe.

– Ciao, Ben. Guarda, mi sono fatto la testa come Ed La Bara!

L'infermiera alza su di me occhi pieni di tristezza e di ammirazione.

– Vorrei parlarti da solo, Ben.

E, come se la conoscesse da sempre: – Marinette, mi andresti a comprare un libro? Così quando questo se n'è andato me lo leggi.

Non so se si chiami davvero Marinette, ma si alza docilmente e io l'accompagno alla porta.

– Non lo stanchi, – bisbiglia, – tra dieci minuti entra in sala operatoria.

E aggiunge, con un sorriso intenerito: – Gli leggerò il libro durante l'anestesia.

La porta si richiude sulla luce del corridoio.

– Ok, sei solo, Ben?

– Sono solo.

– Allora vieni qui e siediti, ho una grande notizia.

Avvicino una sedia al suo letto. Lui aspetta, assaporandosi la suspense.

Poi, quando ormai non sta più nella pelle: – È fatta, Ben, ho scoperto tutto!

– Cos'hai scoperto, Jérémy?

– Come faceva il "criminale" a introdurre le bombe nel Grande Magazzino!

(Gesù...) Per un lungo istante non sento che il suo respiro affannoso e i battiti del mio cuore. Poi domando: – Come faceva?

– Non le introduceva, *le fabbricava all'interno*!

(In effetti, è meglio che io sia seduto.)

– Davvero?

Lo sforzo che mi ci è voluto per dirlo, e in tono allegro!

– Davvero! Ho provato, funziona.

"Provato?" Ci siamo, sento arrivare il peggio. Il peggio con il suo passo ormai familiare.

– Ben, nel Grande Magazzino c'è tutto quello che ci vuole per far saltare in aria Parigi, se si vuole.

È vero, bisogna anche volerlo.

– Nella mia scuola pure.

Il silenzio che segue... questo sì che è silenzio!

– Allora, ho tentato l'esperimento.

– In nome di Dio, Jérémy, che esperimento? Non vorrai dirmi che...

– Fabbricare una bomba *durante le lezioni*, senza che nessuno se ne accorga.

(Ebbene sì, me l'ha detto.)

– Prendi una cosa qualsiasi, del diserbante per esempio, per il clorato di sodio...

Ecco che il mio fratellino Jérémy, che va allegramente per i dodici anni, mi rifila una deliziosa ricetta di bomba artigianale, sempre più eccitato man mano che si spiega, mentre la voce si sovrappone nella mia testa a quella di Théo. "Ti rendi conto, ce n'è uno che si è portato in giro tutto il giorno cinque chili di diserbante nelle tasche del camice."

– Abbassa la voce, Jérémy, calmati, non devi affaticarti.

(E soprattutto non devi farti sentire là fuori dalla porta, porco cane! Un fratello incendiario. Mio fratello è un bambino incendiario! E io, un pedagogo, un educatore...)

– Tutto era filato liscio come l'olio, Ben, ed ecco che quando la disinnesco, per portarla a casa e mostrartela, "la prova schiacciante", capisci? Ecco, quella porcheria mi scoppia tra le mani.

(E hai dato fuoco alla tua scuola, Jérémy! In nome di Dio, HAI DATO FUOCO ALLA SCUOLA!)

– Ma tu mi credi, vero?

Per la prima volta, la sua voce trema di inquietudine.

– Eh, Ben? Mi credi, no?

Silenzio. Lungo silenzio. Lo guardo. Ancora silenzio. E poi lacrime che colano dai suoi occhi dalle ciglia bruciacchiate.

– Ecco, non mi credi. Ci avrei giurato! Oh! Ben, lo sai che non ti ho mai mentito...

(Jahveh, Gesù, Buddha, Allah, Lenin, Tizio e gli altri... cosa mai vi ho fatto?)

– Sì, ti credo, Jérémy, sarà l'ultimo capitolo della mia storia. Lo racconterò agli altri stasera e la trovata della bomba fabbricata nel Grande Magazzino, geniale! sarà l'epilogo...

31.

Io vivo, io muoio; io mi brucio e annego.*
Ho un caldo estremo mentre sto patendo il freddo;
troppo dolce e troppo dura è la vita per me.
Grandi ho di gioia mescolati gli affanni...

    – Clara, quando reciti fai attenzione ai tempi. In poesia i silenzi hanno lo stesso ruolo che in musica. Sono una respirazione, ma sono anche l'ombra delle parole, o il loro riflesso, dipende. Per non parlare dei silenzi annunciatori. Ci sono infiniti tipi di silenzi, Clara. Per esempio, prima che tu ti mettessi a recitare, stavi fotografando il gatto bianco sulla tomba di Victor Noir. Supponi che dopo che avrai recitato noi tacciamo. Sarà forse lo stesso silenzio?
    – Lo "sarà forse", Benjamin, lo "sarà forse"? Mi domando...
Mi sfotte gentilmente, poi mi prende sottobraccio e continuiamo la nostra passeggiata in un Père-Lachaise soleggiato dove Clara mi ha appena fatto notare che la maggioranza dei gatti sono neri o bianchi. Al massimo bianchi e neri. Ma mai colorati. Io penso a Jérémy, a cui hanno riattaccato il dito dieci giorni fa e che dopodomani tornerà a casa. Penso a Julia che ha passato le ultime notti a risollevarmi il morale ("ma no, non ha niente di *mostruoso*, Benjamin, l'infanzia è naturalmente portata alla sperimentazione, è un rompimento, ma non è mo-

---

    * Louise Labé, *Elegie e sonetti*, trad. di Fernanda Visconti di Modrone, Ceschina, Milano 1956.

struoso, e tu non c'entri, mio povero tesoro, rilassati, lasciati andare, non spingermi a teorizzare..."). Julia, il cui profumo mi protegge ancora. Penso al vecchietto che non ho più rivisto nel Grande Magazzino, e che deve aver colto gli sguardi convergenti dei due sbirri. E penso a Clara, che domani ha la maturità e non sembra aver capito granché del sonetto di Louise Labé.

— Louise Labé, tesoro, torniamo a Louise Labé, recita la seconda strofa e cerca di rispettare i silenzi, l'esaminatore te ne sarà grato.

Tutt'insieme rido e lacrimo, e soffro *
nel bel mezzo di un piacere più d'uno
aspri tormenti. Se ne va il bene mio e sempre dura,
tutt'insieme son arida e verdeggio.

— Secondo te, Clara, di cosa sta parlando? Cos'è questo tremito di tutti i nervi, questo sisma, questi cortocircuiti?

— Si direbbe che è inquieta, inquieta e nello stesso tempo molto sicura di sé.

— Inquietudine e sicurezza, sì, ci sei quasi, recita il verso seguente, solo il seguente.

Così, incostantemente Amor mi guida.*

— L'Amore, mia Clarinette, è l'Amore che ci mette in questo stato, guarda tua sorella per esempio.

A questo punto, lei si ferma di botto nel mezzo del vialetto, e mi fotografa: — È te che guardo!

Quindi mi chiede: — Chi era, esattamente, Louise? Voglio dire, rispetto agli altri della sua epoca, i vari Ronsard, Du Bellay.

— Era la creatura più perfetta del Rinascimento, la poesia più sottile e la barbarie muscolare più radicale. Maneggiava la spada e si travestiva da uomo per partecipare ai tornei. È persino andata all'assalto delle mura, nell'assedio di Perpignan. Poi tagliava la penna d'oca il più fine possibile e scriveva cose come questa, che eclissano tutta la poesia del tempo.

* Louise Labé, *Elegie e sonetti*, trad. di Fernanda Visconti di Modrone, Ceschina, Milano 1956.

– Ci sono dei suoi ritratti? Era bella?

– La chiamavano la Bella Cordiera.

Così proseguì la nostra passeggiata: Clara fotografava e io analizzavo per lei il sublime sonetto, quindi lei mi lanciava occhiate ammirate e io pensavo, come il Cassidy di Crosby, che se fossi professore amerei quel mestiere per infinite cattive ragioni, tra cui il mio gusto smodato per questa candida ammirazione.

Dopo la tomba di Victor Noir, tocca al mausoleo di Oscar Wilde a essere bombardato. Théo ne vuole un ingrandimento per la sua camera da letto. Parola di Clara, lo avrà.

Una volta inscatolato Oscar Wilde, fine della passeggiata, è ora di andare a prendere il Piccolo a scuola. Ultima visione sulla via del ritorno: tre o quattro vecchiette mormorano oscuri incantesimi sulla tomba di Allan Kardek. (Addosso a quali vicine tagliano i panni?) Quando Clara si accinge a immortalarle, una di loro si volta e ci fa segno di toglierci dai piedi. Accompagna il gesto uncinato con un sibilo felino.

È in quel preciso istante che esplode la quarta bomba del Grande Magazzino.

La quarta bomba...

Durante il mio giorno libero!

È una bomba molto artigianale: una carica di polvere da sparo compressa nel fodero di una punta da trapano + una bomboletta di gas (tipo campeggio)... ecc. innescata a distanza da un sistema di accensione preso dai comandi di un televisore.

Una piccola bomba.

Imbottisce di ceramica un concessionario di sanitari di origine tedesca, che pisciava tranquillamente nei cessi dell'esposizione svedese, all'ultimo piano (graziose latrine, davvero bianche, resistenti – la porta non è saltata – così perfettamente isolate che nessuno ha sentito la deflagrazione – una scorreggia discreta, niente di più), che pisciava, dunque, il concessionario, la vittima.

Contemplando una serie di vecchie foto che aveva attaccato alle pareti del pisciatoio!

"Sfortunatamente" padre di famiglia, questo qui. (Numerosa.) E più volte nonno.

Forse persino collezionista di francobolli.

E ciononostante imbottito di ceramica immacolata. E di ferraglia.

E anche di pallettoni da caccia.

E nudo.

Nudo?

Come un verme. Dalla testa ai piedi. Come mamma l'ha fatto, insomma.

Spogliato dalla bomba?

No, da se stesso, prima dell'esplosione.

– Ma quello che vorremmo sapere, signor Malaussène, è cosa ci faceva sua sorella Thérèse davanti a quei WC scandinavi, immobile come una statua, finché non si è forzata la porta e non è stato scoperto il cadavere. Ecco, è questo che vorremmo sapere.

Anch'io.

32

– Ma ti avevo avvertito, Ben!

È in piedi, rigida come il Destino, circondata da tre sbirri che sembrano lì lì per dare le dimissioni. Intorno, la Polizia Giudiziaria dà prova di un'attivismo da formicaio – ammettendo che le formiche battano a macchina fumando una cicca dietro l'altra tra cadaveri di lattine.

Insomma, se ne sta in piedi nel misero ufficio, la mia Thérèse, tutta gomiti e ginocchia, troppo alta per la sua età, e nel vederla lì, nel fumo stagnante, tra i maschi che girano, mi piglia una botta d'amore.

– Avvertito di cosa, piccola mia?

Il sosia di Bas Basetta se la mangerebbe cruda se non avesse paura di rompersi i denti. L'altro sogna probabilmente di rifarsi una vita con una bavarese al cioccolato. Sono il ritratto dell'abbattimento.

– In un'ora non siamo riusciti a farle tirar fuori niente di meglio!

C'è un terzo sbirro che non conosco, un giovane biondino che sembra sul punto di scoppiare a piangere. "Parlerò soltanto a mio fratello Benjamin. D'altronde l'avevo avvertito."

– Ma avvertito di cosa, porca merda? – Era esasperato, il biondino.

Ed essendo davvero molto giovane aveva aggiunto: – Vuoi sputare il rospo, eh, zoccola?

Come ultima risorsa, hanno dovuto aspettare l'arrivo di Caregga, insieme all'indiziato Number One, il sottoscritto, ora in piedi davanti a Thérèse, a sorriderle fraternamente, mentre altri sbirri perquisiscono casa nostra, sbattono tutto per aria nell'ex-bottega e nella mia stanza, con una tal foga di *trovare* (trovare cosa?) che sono capacissimi di aprire in due Julius per frugarne l'interno.

– Avvertito di cosa, mia Thérèse?

Lei sussulta e mi guarda come se si risvegliasse ora.

– Ti avevo detto il 28, il 3, l'11, o il 7, *con una fortissima probabilità sul 28.*

(Ah, sì? allora non erano numeri del Lotto...)

– L'ho anche messo nero su bianco, nel caso in cui ancora una volta tu avessi contestato le mie affermazioni.

("Contestato le mie affermazioni..." mi stupiva un po', questo improvviso umorismo...)

– Cosa sono tutte queste storie? State cercando di addormentarci o cosa?

Il biondino ostenta un'aria da adulto con le palle. Gli altri due aspettano. Delle porte sbattono. Gente che chiama. Mia piccola Thérèse, siamo nei locali della polizia Giudiziaria.

– Thérèse vuoi spiegare a questi signori di cosa stiamo parlando?

– Ammetti che avevo ragione?

(Questa è quel che si dice una "condizione preliminare".)

– Sì, avevi ragione, Thérèse, lo ammetto.

– In tal caso, sono dispostissima a spiegare ai signori qui presenti...

Una piccola frase che basta a immobilizzare la scena. Il biondino scivola dietro una macchina da scrivere. Le orecchie dei Quattrocchi si allungano impercettibilmente.

– È molto semplice, signori...

Lei in piedi. Loro seduti. Il paesaggio è cambiato. Lei è il Maestro, loro sono i marmocchi che si sforzano di capire.

– Molto semplice, chiunque di voi sarebbe potuto giungere alle medesime conclusioni. A condizione di fare un piccolo sforzo.

Sì, Thérèse attacca così, con la sua voce stridula, con il tono di una lezione alla Scuola di Polizia: "Esercizio di investigazione astrale su tematica di morte". Lei spiega, con la lunga testa ossuta che emerge da veli di fumo, respirando altrove, come sempre, spiega "ai signori qui presenti" che il tema astrale delle quattro precedenti vittime indicava con chiarezza che dovevano morire di morte violenta, il giorno stesso della loro morte, né la vigilia né l'indomani, e in quel preciso luogo geografico: il Grande Magazzino.

– E il giorno del mio pensionamento qual è? – ironizza il biondino che recita senza saperlo la parte di Jérémy.

– Chiudi il becco, Vanini, – ringhia il sosia di Bas Basetta, rubandomi lo spartito, abbiamo già perso abbastanza tempo.

– Scordati le battute e prendi nota della deposizione, qualsiasi cosa dica, anche la ricetta di una crostata, è questione di momenti e il capo sarà qui.

E Jib la Iena invita gentilmente Thérèse a proseguire.

– Per quanto riguardava la potenziale vittima, la quinta, continua Thérèse, non conoscendone né l'identità né l'età, dovevo pertanto ragionare non più a partire dai parametri della sua nascita, ma basarmi invece su un ipotetico punto d'arrivo – quel che voi chiamate "morte", e che, ovviamente, è solo "passaggio" – poi, una volta solidamente poste, su questa premessa, le basi di un ragionamento deduttivo, cercare di risalire il corso del tempo, fino a scoprire il punto di emergenza del soggetto – quel che voi chiamate "nascita", ma che, beninteso, è solo "incarnazione".

I Quattrocchi del commissario Rabdomant guardano fisso davanti a loro come se non ci fosse alcun muro, mentre il biondino batte come un forsennato alla macchina da scrivere, il cui nastro esangue lascia lettere pallide come la morte. Thérèse è lanciata.

– Ora, tenuto conto delle date di "incarnazione" delle quattro precedenti vittime, della natura dei transiti astrali che furono il segno del loro "passaggio" al Grande Magazzino – o, se preferite, della loro morte – è risultato che, con ogni probabilità, il 28 di questo mese, in quello stesso luogo, la morte violenta doveva intervenire per il transito di Saturno sul Saturno radicale.

Si è alzata presto, stamattina, Thérèse. È stata la prima cliente a varcare la soglia del Grande Magazzino. Ha rabbrividito di orrore alle carezze investigatrici di un agente di polizia mezzo addormentato. Ha vagato nei corridoi ancora deserti sotto lo sguardo incuriosito delle commesse che si rifiutavano di prendere quella sagoma ispirata per una ladra in cerca di prede. Poi, si è persa tra la folla, vi si è mischiata in ogni angolo del Grande Magazzino, aspettava il momento in cui la morte avrebbe confermato le sue deduzioni, ma temeva contemporaneamente l'esattezza dei propri ragionamenti, poiché non si augurava la morte di nessuno, poverina; "Ben, mi credi, eh, sai che non ti ho mai mentito!" (sì, esattamente la stessa frase di Jérémy nel suo letto di ospedale), "ti credo, tesoro, non hai mai voluto del male a nessuno, è vero, ti ascoltiamo...", senza sapere dove la morte avrebbe colpito, ma convinta da un'oscura luce (il biondino alza gli occhi dalla macchina da scrivere, ma sì, oscura luce, è proprio quello che ha detto) che giunto il momento, lei avrebbe saputo il luogo e l'istante esatto.

E, "giunto il momento", è stata trovata una ragazza impietrita davanti alla porta chiusa di quei doppi WC venuti dal freddo. Nessuno aveva sentito l'esplosione, e comunque il piano era praticamente deserto a quell'ora vuota della sera. Dieci minuti prima della chiusura degli uffici e dell'ultimo afflusso di clienti.

È stato il direttore del reparto in persona a trovare Thérèse. Un marcantonio dalla vocina esile. Credendo che non sapesse come fare, ha cercato di aprire la porta per lei. Ma era chiusa a chiave dall'interno. Incuriosito, ha aspettato. Ma la spilungona muta e rigida gli metteva una fifa del diavolo. E ha quindi fatto appello alla via gerarchica. La qual via portava alla polizia, che ha forzato la porta.

Cadavere imbottito.

E piccole foto sulle pareti insanguinate.

– E sai una cosa, Ben, ho scoperto la data di nascita esatta nell'istante in cui è morto: 19 dicembre 1922.

La mitragliatrice del biondino si inceppa in un singulto di ferraglia.

Lui lancia un'occhiata stupefatta a un passaporto aperto sul tavolo e legge ad alta voce: – Helmut Künz, cittadino tedesco, nato a Idar Oberstein, il 19 dicembre 1922.

Immagino che si renda conto della gravità della situazione, signor Malaussène.

Ora è notte inoltrata. Caregga ha riaccompagnato a casa Thérèse. Anche la Polizia Giudiziaria si è addormentata. Solo la lampada a reostato, nell'ufficio del commissario di divisione Rabdomant, indica che le forze dell'Ordine continuano a pensare. È seduto alla scrivania, io in piedi davanti a lui. Niente Elisabeth, niente cafferini. Solo l'"educatore" di fronte all'altro "educatore".

– Perché tutto questo comincia a formare una bella rete di indizi contro di lei.

Lieve aumento d'intensità della luce per indicare la gravità del momento. (Con una discreta pressione del piede su un interruttore ad hoc, il commissario Rabdomant crea queste variazioni di luce. Immagino che ogni sbirro abbia il suo trucco.)

– E i miei uomini troverebbero incomprensibile che io non ne tenessi conto.

(Thérèse, Thérèse...)

– Riassumo la situazione, se me lo permette.

(Non è che proprio ci tenga...)

Me la riassume. In otto punti che cadono nella nostra penombra come altrettanti capi d'accusa.

1) Benjamin Malaussène, responsabile del Controllo Tecnico al Grande Magazzino, negozio dove da mesi un ignoto assassino semina bombe, è presente sul luogo di ogni esplosione.

2) Quando non c'è lui, c'è sua sorella Thérèse.

3) La suddetta Thérèse Malaussène, minorenne, sembra aver previsto il momento e il luogo della quarta esplosione – dettaglio che può incuriosire qualsiasi funzionario di polizia restio all'astro-logica.

4) Jérémy Malaussène, minorenne, come sopra, ha incendiato la propria scuola con una bomba artigianale di cui almeno uno dei componenti chimici è già stato utilizzato dall'assassino del Grande Magazzino.

5) La topografia del Grande Magazzino sembra interessare particolarmente la famiglia, a giudicare dal numero di fotografie trovate nella cartella della sorella minore, Clara Malaussène, deliziosamente minorenne, ingrandimenti fotografici scoperti durante una perquisizione attuata al domicilio della famiglia, con mandato emesso il... ecc.

6) Il più minorenne di tutti i piccoli Malaussène sogna da mesi degli "Orchi Natale", sinistra tematica non senza rapporto con le foto (non meno sinistre) scoperte sul luogo dell'ultima esplosione.

7) La gravidanza della sorella Louna Malaussène, appena maggiorenne, infermiera, è all'origine di un incontro tra Benjamin Malaussène e il professor Léonard, vittima della terza esplosione.

8) Lo stesso cane della famiglia (età e razza indefinite) non sembra estraneo alla vicenda, essendo stato vittima di una crisi di nervi sul luogo stesso di uno dei delitti. (L'analisi delle fotografie scoperte nelle toilette dell'esposizione rivela, almeno in una di esse, la presenza di un cane colpito da analoga affezione).

Nuovo aumento d'intensità della luce. Seduto di fronte a me, il commissario di divisione Rabdomant sembra l'unico uomo illuminato nella notte parigina.

— Interessante, non è vero, per una squadra di poliziotti esausti, che vorrebbero concludere?

Silenzio.

— Ma non è tutto, signor Malaussène. Vuol dare un'occhiata a questo?

Mi tende una busta di carta da pacchi, gonfia da scoppiare, che porta il timbro di una famosa casa editrice parigina.

— L'abbiamo ricevuto l'altro ieri, aspettavo a parlargliene.

La busta contiene due o trecento pagine dattiloscritte. Il tutto è definito *romanzo*, intitolato IMPLOSIONE e firmato Benjamin MALAUSSÈNE. Mi basta un'occhiata per riconoscere il racconto che propino ai bambini dall'inizio della faccenda e che è giunto a conclusione quindici giorni fa, con la confessione di Jérémy. Il mio stupore è tale che Rabdomant si sente in dovere di precisare: — Abbiamo trovato l'originale a casa sua.

C'è il brontolio costante di Parigi che dorme.

L'ululato di una macchina della polizia lo attraversa come un brutto sogno. Sulla scrivania del commissario Rabdomant, la luce si attenua leggermente.

— Mi stia bene a sentire, ragazzo mio...

("Ragazzo mio...")

– Non le rimane che una carta: la mia intima convinzione. Della sua innocenza, naturalmente. Ma nessuno dei miei collaboratori la condivide e farli indagare su altre piste in queste condizioni non è cosa facile. Se altri fatti non sopraggiungono entro breve tempo a sostenere la mia convinzione...

Li sento cadere uno dopo l'altro, quei puntini di sospensione! Ed è a questo punto che crollo. Tanto peggio per Théo, tanto peggio per lo Zorro di turno. Dichiaro di aver visto un vecchietto dal camice grigio fregare due cartucce al reparto armi e riempire di polvere da sparo l'astuccio metallico di una punta di trapano.

– Perché non l'ha detto prima?

(Perché, appunto?)

– Avrebbe forse potuto salvare la vita di un uomo, signor Malaussène.

(Il fatto è che c'è il mio amico Théo, signor commissario, il mio amico Théo e il suo porro alla vinaigrette.)

– In ogni caso, verificheremo.

Il tutto detto, mi sembra, senza troppa convinzione.

Infatti ritiene di voler aggiungere: – Accenda qualche cero se vuole che lo si ritrovi...

33.

— Ma ti rendi conto? Ti rendi conto di quello che hai combinato?

— Volevo farti una sorpresa, Ben.

— Brava, ci sei riuscita!

Difficile descrivere il livello della mia rabbia. Perché proprio la mia Clara deve aver avuto l'idea di fotocopiare il manoscritto e spedirlo a *undici* case editrici? UNDICI! (11!)

— Sbagli a prendertela così tanto. È di ottima qualità, sai: anche i poliziotti si divertivano un sacco leggendolo.

Strangolare Louna? Strangolare Louna che è intervenuta con la voce sognante, le dita intrecciate sulla semisfera della sua imminente maternità? Per un attimo mi faccio questa domanda.

— Specialmente il ritratto che fai di Rabdomant-Napoleone, li faceva veramente ridere.

— Louna, per favore, taci. Lascia che Clara si spieghi.

(Ma cos'hanno nel cervello, i bambini? E gli adolescenti? Cos'hanno nella zucca? Sono solo quelli della mamma a essere fabbricati su questo modello o sono tutti uguali? Che qualcuno abbia pietà e mi faccia sapere, chiunque, anche un pedagogista, che mi spieghi!) L'inchiesta non è ancora conclusa, i poliziotti mi tengono d'occhio da mesi, Jérémy dà fuoco alla scuola, e l'indomani della catastrofe, Clara spedisce il mio racconto a undici editori (Clara! Undici!), il mio racconto, il cui epilogo dà la ricetta della bomba jeremiesca e il segreto della sua fabbricazione intra-muros! PERCHÉ?

— Era per consolarti, Ben.

(Consolarmi...)

– Ho chiesto a Julia cosa ne pensava, e lei era d'accordo.

(Benissimo, una demente in più tra gli intimi.)

– E poi, è davvero divertente, Ben, ti assicuro, i poliziotti erano proprio morti dalle risate.

(Ho notato, sì, soprattutto Rabdomant...)

– Allora come spieghi il rifiuto dell'editore, Louna?

Perché stamattina, sul vassoio della colazione portatomi da Clara, ho ricevuto la prima risposta. Un rifiuto cortese, ma deciso. Il firmatario riconosce "l'innegabile fantasia" del capolavoro, ma deplora "una struttura un po' confusa" (puoi capire!), s'interroga sull'"opportunità di una simile pubblicazione nel momento in cui una vicenda analoga domina le prime pagine dei giornali" (anch'io m'interrogo), per concludere che in ogni caso "questo tipo di opera non è prevista nel nostro programma editoriale".

(Ci mancherebbe altro...)

– Non significa niente, Ben, rimangono ancora dieci case editrici! Sai benissimo che il tuo difetto è di non credere mai in quello che fai.

La belva in me si irrigidisce. Punta l'occhio sul ventre di Louna. Pensa: "Tra una decina di giorni, avrò anche quei due sul gobbo." Mostro i denti. Le mie zanne luccicano pericolosamente. E in quel preciso istante Thérèse emette un'ipotesi di rara sottigliezza psicologica.

– Non ti sarai offeso per quel rifiuto, Ben?

(Esiste il pensionamento anticipato per fratelli maggiori?)

Questo, per quanto riguarda l'ambito famiglia. Se poi vogliamo dare un'occhiata all'ambito lavoro, non è mica un granché bell'allegro, come direbbe Jérémy. Più nessuna traccia del vecchietto dalla testa di cavalletta. Più nessuna traccia di sbirri. Sono solo. Solo in un campo minato. La minima porta che sbatte, un articolo un po' pesante che cade da un bancone, una parola detta a voce un po' più alta, tutto mi fa sobbalzare. Persino la voce di Miss Hamilton. Sono costantemente sull'orlo dello svenimento. Paranoia acuta.

All'Ufficio Reclami, lo sconforto dei clienti mi procura lacrime *vere*, e Lehmann, che perde un sacco di tempo a consolarmi, ha messo in giro la voce che mi son dato alla bottiglia.

– È vero? – mi chiede Théo, non preferisci sniffare? È altrettanto dannoso per la salute, ma è meglio per il morale.

E Sainclair, comprensivo: – Lei svolge un lavoro deprimente, signor Malaussène, e a dire il vero è un miracolo che abbia retto così a lungo. Entro breve, le troveremo un'altro impiego. Per esempio, le andrebbe la sorveglianza del pianoterra? Stiamo pensando di separarci dal signor Cazeneuve.

Perché il vecchio Gimini Cricket è scomparso? Forse perché l'ho individuato? Ma faceva di tutto per farsi individuare! Senza l'incidente di Jérémy, avrei partecipato a tutte le fasi della sua opera di artificiere. Allora? Perché sentiva che ero sorvegliato dai due poliziotti di Rabdomant? E quei due, perché sono svaniti anche loro? Perché non sono stati rimpiazzati da altri due, del colore delle pareti? Non c'è più un solo poliziotto, nel Grande Magazzino. Né Théo né i suoi vecchietti sono stati interrogati. Cos'è questa solitudine? In vista di cosa? Ho bisogno di una bomba. Ho bisogno che una bomba esploda. Ho bisogno di sapere dove, quando e chi! Ho urgente bisogno di mettere le mani sul maiale che da mesi mi sta facendo passare per il colpevole. Ne ho bisogno. Altrimenti sarò ingabbiato al posto suo. Niente prove, ma una montagna di indizi e presunzioni. Di che spedirmi in gattabuia fino alla maggiore età dei gemelli di Louna. E chi li alleverà quei coglioncelli? Jérémy? Li inizierebbe ai segreti della bomba a neutroni! Mamma? Mamma...

– Mamma, mamma...

Nelle docce attigue al nostro spogliatoio, Théo mi sorprende intento a singhiozzare come un pazzo: "Mamma, mamma..." sopra il lavabo, a inondarmi il viso con l'acqua fredda, e a piangere come un vitello: "Mamma, mamma..." disperazione accompagnata da una litania: "Padre, perché mi hai abbandonato?" che risale a spirale dai tempi remoti del catechismo quando Mamma voleva darmi il Buon Dio in guisa di papà. "Mamma, mamma, perché mi hai abbandonato?" E Théo che mi consola, come un tempo la Yasmina del vecchio Amar, Théo che ho tradito, denunciando il suo vecchietto giustiziere.

– Uno dei miei vecchi, dici?

– Uno dei tuoi vecchi, Théo, quello che ha una testa da cavalletta, quello che trafficava con i rubinetti il giorno della cabina delle fototessere, per questo voleva allontanarti, perché tu non rischiassi di essere ferito dall'esplosione... l'ho denunciato alla polizia, Théo, troppe presunzioni contro di me.

La mano di Théo chiude il rubinetto e, dato che siamo in piena catechesi, con gesto biblico l'amico Théo mi asciuga il viso. Ci manca poco che io non veda il mio simpatico muso imprimersi al rovescio sull'asciugamano di spugna.

– Non è così grave, Ben, in ogni caso con le foto dei cessi svedesi i poliziotti erano già sulla buona strada.

– Come si chiama quel vecchio?

– Non ne ho idea. Non li chiamo mai con il loro nome, io, ma con dei soprannomi.

– Dove sta?

– Chi lo sa... un pensionato qualsiasi, o una soffitta.

– Perché è scomparso?

– Secondo te, perché si scompare a quell'età, Ben?

– Credi che sia morto?

– Capita anche a loro, sì, ed è sempre una sorpresa, con le facce eterne che hanno.

– Théo, *non deve* essere morto!

("Accenda qualche cero, se vuole che lo si ritrovi"...)

– C'è un'altra ipotesi...

– Quale?

– Che abbia portato a termina la sua missione, Ben, che abbia fatto sparire tutti gli orchi e sia svanito nella natura.

34.

Per più di una settimana Julia, Théo e io abbiamo perlustrato l'underground della quarta età parigina, Théo guidato dai suoi vecchietti, Julia dal suo personale istinto di ficcanaso, e io seguendo di volta in volta l'uno o l'altra, troppo sconvolto per prendere la benché minima iniziativa, ma troppo terrorizzato per restare lontano dal teatro delle ricerche. Abbiamo setacciato tutto: dalle più desolate succursali dell'Esercito della Salvezza ai club di bridge più altolocati passando per una sfilza di associazioni a scopi eminentemente lucrativi: dormitori gremiti, cessi alla turca, minestra trasparente, direttrici opache, acqua stagnante a tutti i piani. Ogni giorno avvicinava Théo al suicidio e Julia al suo prossimo articolo.

— Ben, ho scoperto qualcosa!

(Botta di speranza nel mio vecchio cuore.)

— Cosa, Julia, cosa?

— Il traffico di droga del secolo. Tutti quei vecchietti sono schiavi degli spacciatori!

(Me ne fotto, Julia, me ne sbatto, trovami il *mio* vecchio, lascia un po' perdere il lavoro, diamine!)

— Quei vecchi si fanno come dei forsennati, Ben. Bisogna capirli. Devono dimenticare tutto, anche l'avvenire, e quando non vogliono dimenticare, vogliono ricordare, allora, doppia dose!

Era tutta infiammata e sapevo per esperienza che nulla al mondo avrebbe potuto spegnere quell'incendio.

— Non sono l'unica ad averlo scoperto, altri l'avevano sgamato da tempo. Ho individuato certe transazioni... Credimi, il vero mercato degli stupefacenti è questo.

(Come se fosse il momento di venire ad aggiungere un motivo in più alle mie preoccupazioni...)

– Stai attenta, Julia, sii prudente.

E invece no, era lanciata.

– Per forza, con dei medici che non gli danno mai la dose sufficiente per calmare i dolori...

(Julia, abbi pietà, occupati di me, DI ME PRIMA, Julia!)

– E tutto questo con la benedizione delle autorità, perché un vecchio che crepa per un'overdose non è altro che una rovina che crolla.

Pian piano, Théo si è messo a reclutare vecchietti per il Grande Magazzino, Julia a indagare per il suo articolo, e mi sono ritrovato solo con il mio problema. Solo con la breve frase di Théo nella testa vuota: "a meno che non abbia portato a termine la sua missione, Ben, e sia svanito nella natura"...

No, Gimini Cricket non aveva portato a termine la missione. Gli restava ancora un orco da giustiziare. Il sesto. L'ultimo. È stato lui stesso a dirmelo. Ieri sera. È venuto a sedersi sul similpelle di una metropolitana notturna, proprio lì di fronte a me, del tutto spontaneamente, quando ormai disperavo di poterlo ritrovare. Il mio vecchietto dalla testa di cavalletta.

Tralascio la sorpresa, per entrare nel vivo nel dialogo.

– L'ultimo?

– Sì, giovanotto, erano sei. Sei che si facevano chiamare "La Cappella dei 111".

– Perché dei centoundici?

– Perché 111 moltiplicato per 6 fa 666 che è la cifra della Bestia e 111 doveva essere il numero delle vittime immolate.

Ha avuto un sorriso da cui trapelava una sorta di indulgenza.

– Sì, cifre simboliche, giovanotto, stupidaggini. La peggior mostruosità è sempre figlia di una bambinata.

Bene. Ma torniamo alla sorpresa. Si è dunque seduto

di fronte a me, Gimini la cavalletta. Ha appoggiato l'indice sulle labbra perché non mi lasciassi sfuggire un grido di sorpresa.

Ha sorriso.

Ha detto: – Sì, sono proprio io.

Oltre a noi, nel vagone c'erano tre che dormivano. Avevo appena lasciato Stojil che non era riuscito a fare granché per il mio morale. Stojil si era limitato a ripetermi, instancabilmente: – Non è lontano, piccolo, credimi: ogni vero assassino diventa il fantasma di se stesso.

– Cos'è un vero assassino, Stojil?

– Un assassino che non ha fame.

Ebbene, avevo il mio assassino che non ha fame, seduto lì di fronte a me.

Si era installato come un nano su un trono, ondeggiando con le chiappe per raggiungere il sedile. Le gambe dondolavano nel vuoto, come quelle dei miei piccoli sui letti a castello. E i suoi occhi brillavano dello stesso bagliore dei loro. Non portava più il camice grigio da orfano, ma un terital adatto alla sua età, che cadeva con pieghe severe consone alla sua condizione. La patacca color porpora della Legion d'Onore gli brillava all'occhiello. Si è messo a raccontare senza troppi preamboli. Nemmeno per un istante ha pensato che potessi saltargli addosso, legarlo come un salame e consegnarlo porto franco a Rabdomant. Nemmeno per un istante mi è passato per la testa. Raccontando, lui cresceva, io ascoltando rimpiccioliivo.

Storia senza sorprese, dopo tutto. E raccontata senza curarsi dell'effetto. Direttamente nel vivo del tema. (Un vivo che diffondeva un terribile odore di carogna!) 1942: chiusura del Grande Magazzino causa pogrom europeo. Sei mesi di beghe giudiziarie. I proprietari si accanivano a difendersi, e la civiltà giocava a salvare le apparenze. Ma sei mesi che condussero, naturalmente, alla bocca spalancata dei forni crematori: "la storia ha deciso", come diceva quell'ipocrita di Risson nascosto dietro il suo muro di libri. Exit il consiglio di amministrazione.

1942: sei mesi durante i quali il Grande Magazzino è lasciato alla silenziosa penombra della sua abbondanza. Merce addormentata nel sonno della guerra, e, intorno, il cordone nero della Milizia.

Alcuni ideologi delle camicie brune pretendevano addirittura di tenere il Grande Magazzino chiuso come una tomba fino all'anniversario del Millennio nazional-socialista.

– Ne parlavano come se fosse stato l'indomani, giovanotto, convinti che nel divorare l'Europa avessero conquistato anche il Tempo.

E in realtà, dopo qualche settimana, un mistero degno dei faraoni circondava il Grande Magazzino. La sua cieca immobilità generava chiacchiere come un cadavere i suoi parassiti. Le voci più diverse correvano sui segreti movimenti delle sue viscere. Per gli uni, era un focolaio della resistenza, per gli altri il campo sperimentale delle torture della Gestapo, per altri ancora, non era altro che se stesso, il museo chiuso di una storia morta, divenuta improvvisamente estranea. In ogni caso, lo si guardava come se non lo si conoscesse più.

– Niente diventa leggendario più in fretta di un luogo pubblico brutalmente sottratto alla frequentazione popolare!

Sì, a quei tempi, l'immaginazione procedeva a gran passi sul campo sterminato delle leggende. Ancora qualche mese, e nella memoria di tutti un millennio sarebbe trascorso.

Era l'epoca della fulminea eternità vissuta dai sei orchi della "Cappella dei 111", nel segreto di quella penombra ricolma di mercanzie fossili.

– Chi erano?

– Ne so quanto lei. Sei individui di estrazioni diverse, uniti nell'identico disprezzo per ciò che Aleister Crowley chiamava i "sordidi aborti del XX secolo", ma ben decisi a godere il più possibile dello sconvolgimento del formicaio.

– Il professor Léonard ne faceva parte?

– Sì, era uno di loro. Era lui, in particolar modo, a rifarsi ad Aleister Crowley. Un altro si richiamava a Gilles de Rais, e così via, tutti uniti in un sincretismo demoniaco che pretendevano fosse l'anima del loro tempo. È così, giovanotto, erano *l'anima della loro epoca*, un'anima che si nutriva di carne viva.

– Di bambini?

– E a volte di animali, tra cui un cane che Léonard sgozzò con i suoi stessi denti.

(Allora è questo che la tua anima ha subodorato, mio

vecchio Julius! Se lo raccontassi, nessuno mi crederebbe...)

– Come facevano a procurarsi le vittime?

– In tempi di carestia, Gilles de Rais apriva le sue cantine per attirare i bambini. Loro invece offrivano il Regno dei Giocattoli. (Gli orchi di Natale...)

– La maggior parte di questi bambini erano affidati dai genitori minacciati a una trafila sicura che doveva farli passare in Spagna, negli Stati Uniti, lontano dai massacri in corso. In realtà, la trafila si perdeva nell'oscurità del Grande Magazzino. Ed è il sesto uomo, l'ultimo, il fornitore di bambini, che adesso morirà.

– Quando?

Ho fatto questa domanda di botto, convinto, nel medesimo istante, che nulla al mondo avrebbe potuto strappargli la risposta.

– Il 24 di questo mese.

Mi ha guardato sorridendo. Poi ha ripetuto molto lentamente:

– Il 24 alle 17.30, al reparto giocattoli. E lei ci sarà, giovanotto. Come pure il commissario Rabdomant, immagino.

Mi ha fatto cambiare sei volte metropolitana, il mio Gimini. Nei corridoi di ceramica, i suoi passi non producevano alcuna eco. Solo allora ho notato le sue pantofole. "L'età..." ha mormorato con un sorriso di scuse.

Ha risposto a tutte le mie domande. Tra cui la sola, l'unica, quella che le contiene tutte: – Perché mi ha associato a questa vendetta?"

Il vagone traballava verso la Goutte d'Or. Dei negri ciondolavano nella notte. Teste addormentate su spalle vigili.

– Perché io?

Mi ha guardato a lungo, come se consultasse un registro interiore, e alla fine ha risposto: – Perché lei è un santo.

Di fronte al mio sguardo da pesce lesso, ha sviluppato il concetto.

– Lei fa un lavoro meraviglioso nel Grande Magazzino, un lavoro *di totale umanità*.

(Senti chi parla...)

– Facendosi carico delle colpe di tutti, prendendo su di sé tutti i peccati del Commercio, lei si comporta da santo, se non da Cristo!...

(Gesù? Io! Oh Gesù mio...)

— È tanto che l'aspettavo...

Tutte le fiammelle della Pentecoste si sono improvvisamente accese nei suoi occhi. Ed è così, tutto illuminato dall'interno, che mi ha spiegato perché mi faceva scoppiare le bombe sotto il naso. Secondo lui, l'eliminazione del male assoluto doveva aver luogo sotto gli occhi del suo simmetrico, il bene integrale, il Capro Espiatorio, simbolo dell'innocenza perseguitata: il sottoscritto. Sì, era necessario che il Santo assistesse all'annientamento dei demoni.

— Lei testimonierà, giovanotto, lei è il solo depositario della verità, il solo a esserne degno!

Inutile dire che subito dopo aver lasciato la mia cavalletta nella notte parigina, mi sono fiondato in una cabina telefonica per chiamare Rabdomant. Lui ha ascoltato senza fiatare, poi ha detto: — Glielo avevo detto, io, che il suo era un lavoro pericoloso...

(Ancora per poco, parola di santo!)

— Ha detto il 24 alle 17.30 al reparto giocattoli? Questo ci porta a giovedì. Ci sarò, cerchi di esserci anche lei, signor Malaussène.

— Non ci penso nemmeno!

— Allora non succederà niente e lei resterà sempre l'indiziato prediletto dei miei uomini.

Ho capito. Gli chiedo ancora: — Ha un'idea dell'identità dell'ultima vittima, il fornitore di bambini?

— Neanche la più pallida, e lei?

— Il vecchio ha detto appunto che ne sarei rimasto sorpreso.

— Bene. Aspettiamo la sorpresa.

Julius mi aspettava in fondo al mio letto. Julius che in tutta la faccenda aveva avuto più fiuto di me. Julius che aveva risposto a tutte le domande, Julius al quale non avevo ancora fatto il bagno. Ho accarezzato la sua testa pensante e ho lasciato cadere la mia sul cuscino. Qui ha incontrato lo schiaffo freddo di una rivista dalla copertina patinata.

Era il numero di *Actuel*.

Quello che raccontava la vita del Santo. Finalmente pubblicato!

Ho aperto alle pagine che mi riguardavano, e per la verità ho provato sentimenti ambigui. Se mai il vecchio Zorro con la Legion d'Onore leggesse l'articolo, dovrebbe rivedere le proporzioni della mia santità.

Peraltro, intenso giubilo nell'immaginare la faccia di Sainclair. E gioia totale all'idea di essere cacciato, finalmente libero da quel fetido lavoro. Perché, inchiesta o non inchiesta, Sainclair sarebbe stato costretto a cacciarmi, adesso!

Per la prima volta da tempo (e nonostante la prospettiva del giovedì seguente), mi sono addormentato come un uomo promesso alla felicità.

35

– Ha figli, Malaussène?

I lineamenti del suo viso sono immobili. Mi ha ricevuto nel suo ufficio come l'ultima volta. Ma non mi offre né whisky né sigari. Nemmeno una sedia. E questa volta, Sainclair non ha niente di cui complimentarsi. Chiede soltanto: – Ha figli?

– Non so.

– Le conviene informarsene, perché sto per appiopparle un processo che lei perderà e che la rovinerà fino alla settima generazione. Sarebbe corretto avvertire gli eventuali eredi.

Ha il numero di *Actuel* aperto davanti agli occhi, ma guarda me.

Poteva sputare nel piatto in cui mangia, cosa tutto sommato normale, e l'avrebbe pagato caro. Dato però che ha preferito mangiare la foglia...

Si concentra su un rapido calcolo mentale...

– Le costerà carissimo, signor Malaussène.

Il sorriso che volevo spazzare via ritorna sul suo viso con l'elastica disinvoltura di quella maledetta capacità di adeguarsi. Cosa che mancherà sempre al fottuto santo che sono io.

– Perché lei ha firmato un contratto, pensi un po', un contratto che definisce chiaramente il ruolo spettante al Controllo Tecnico. E, al momento buono, si troverà di fronte 855 dipendenti che affermeranno tutti, con la miglior buona fede del mondo, che lei non ha mai svolto correttamente il proprio lavoro, e preferiva limitarsi a quell'abbietto ruolo di martire, nato dalla sua mente malata, e che se l'azienda ha commesso un errore, è stato quello di averla mantenuta nel novero dei dipendenti. Pausa.

– Da tre anni che ho assunto la direzione del Grande Magazzino, signor Malaussène, nessun dipendente è mai stato licenziato.

Ripete, dispiegando lo stesso sorriso: – *Nessuno.*

(Ma allora è vero che ha un sorriso solo.)

– Ecco perché la tenevamo con noi.

E, nella sua voce, adesso c'è qualcos'altro. Quello che fa la forza di tutti i Sainclair del mondo: *ci crede.* Crede vero come l'oro alla versione che ha appena messo in piedi. Non è la *sua* verità, è *la* verità. Quella che fa tintinnare il campanello dei registratori di cassa. La sola.

– Un'altra cosa.

(Sì, Sainclair?)

– Al suo posto, camminerei rasente i muri, perché se fossi uno dei clienti che hanno avuto a che fare con lei negli ultimi sei mesi, credo che farei di tutto per ritrovarla... A costo di metterci una vita.

(Infatti, vedo una schiena ergersi di fronte a me, una schiena da eclissare il sole: "Non farti mangiare il fegato da questi porci, piccolo, attacca!")

– È tutto.

(Cosa, tutto?)

– Può andare. È licenziato.

A questo punto comincio a farneticare, e mormoro con aria furba: – Ma lei mi aveva detto che la polizia proibiva i movimenti del personale durante le indagini...

Scoppio della bella risata direttoriale:

– Ma sta scherzando! Le ho semplicemente mentito, Malaussène, nell'interesse dell'azienda, s'intende: svolgeva il suo ruolo alla perfezione e non volevo le sue dimissioni.

(Bene. Bene, bene, bene, bene... Fottuto, insomma. Mi ha fottuto.)

E, riaccompagnandomi cortesemente alla porta: – Ma in fondo, non la perdiamo affatto: lei ci faceva risparmiare molto denaro, ma ora ce ne farà risparmiare anche di più.

Ecco come vanno le cose. Ci preparano alla goduria del secolo, e, arrivato il momento, hanno un gusto di Fernet Branca. Su questo punto come su alcuni altri, Julia ha ragione: mai investire nella promessa del piacere. Subito o mai. Andate a chiederlo a quelli di là, che sgobbano per l'avvento del radioso Avvenire...

Così filosofeggiavo passando sotto l'ultimo sguardo di Lehmann. Ah! Quello sguardo di uomo tradito, lanciatomi dalla gabbia trasparente mentre la scala mobile mi immerge negli abissi più profondi... Pieno di vergogna! Sono pieno di vergogna, quando invece dovrei sprizzare di contentezza!

Sono talmente sconvolto che rischio di rompermi la testa quando la scala mobile raggiunge la terraferma. E, ripreso l'equilibrio (risata delle commessucce dei giocattoli), ecco la voce di Miss Hamilton che vaporizza, in un sorriso nuovo fiammante: – Il signor Cazeneuve è desiderato all'Ufficio Reclami.

Gli orari della vita dovrebbero prevedere un momento, un momento preciso della giornata, in cui ci si potrebbe impietosire sulla propria sorte. Un momento specifico. Un momento che non sia occupato né dal lavoro, né dal mangiare, né dalla digestione, un momento perfettamente libero, una spiaggia deserta in cui si potrebbe starsene tranquilli a misurare l'ampiezza del disastro. Con queste misure davanti agli occhi, la giornata sarebbe migliore, l'illusione bandita, il paesaggio chiaramente delineato. Ma se si pensa alla propria sventura tra due forchettate, con l'orizzonte ostruito dall'imminente ripresa del lavoro, si prendono delle cantonate, si valuta male, ci si immagina messi peggio di come si sta. Qualche volta, addirittura, ci si crede felici!

A questo pensavo, disteso sul letto, con Julia a prestarmi il suo calore, due istanti fa, quando il telefono ha squillato. Stavo bene. Misuravo l'esatta estensione della mia miseria, ruminavo il singolare sapore di sconfitta che aveva assunto la mia vittoria su Sainclair. Avrei avuto davanti agli occhi le dimensioni esatte del mio giardino di dolore, quando quello stronzissimo squillo ha confuso d'un tratto tutti i miei calcoli, suscitando il gesto più carico di illusioni che ci possa essere: alzare la cornetta di un telefono che suona.

– Ben? Louna è giunta a termine.

"Giunta a termine"... Solo Thérèse può pronunciare formule del genere. Quando tirerò le cuoia, invece di essere sconvolta dalla mia morte, si dichiarerà "afflitta dal decesso del fratello maggiore".

Bene. Louna è "giunta a termine". Ho scritto l'indirizzo tutto bianco della clinica, mi sono precipitato in metropolitana, ho preso la linea giusta, e adesso aspetto che passi. C'è qualcosa che palpita in me, all'idea di scoprire la faccia nuova nuova dei gemelli (una per tutti e due?). Qualcosa che attacca a battere forte, come cinque anni fa alla comparsa del Piccolo, e più indietro a quella di Jérémy, e più indietro ancora a quella di Clara – sono stato io ad accoglierla (la levatrice era ubriaca e il medico se l'era squagliata con la cassa), io a mollare i suoi ormeggi e a farle gli onori di casa, alla mia Clara, con la mamma sullo sfondo, che già ripeteva: "sei un ottimo figlio, Benjamin, sei sempre stato un ottimo figlio..."
Sì, è felicità ciò che provo. Insomma, una specie. Tutti i calcoli che avevo fatto, disteso sul mio letto, si sono ingarbugliati. Ma bisogna sforzarsi di pensare lucidamente. "Louna è giunta a termine": pudico ottimismo per indicare quello che in realtà è l'inizio di nuove catastrofi. Perché due gemelli, diciamocelo, sono due bocche in più da sfamare, quattro orecchie da distrarre, una ventina di dita da tener d'occhio, e innumerevoli stati d'animo da tamponare, ancora e sempre!
Tutto ciò con la prospettiva del processo Sainclair, la rovina all'orizzonte, forse la prigione, senz'altro il disonore, e (Zola, a me!) la decadenza alcolizzata.
Neanche per sogno! Appena avranno cinque anni, li sbatterò a lavorare, i gemelli! Ecco cosa farò! Amputazioni e accattonaggio! E che sia redditizio! Se non volete mangiarvi i piatti vuoti!

Perché la realtà si oppone a tutti i miei progetti? Perché la vita mi ostacola? È la domanda che mi pongo, in piedi al capezzale di Louna, nella clinica tutta strilli e fiori, con l'occhio su Laurent che stringe tra le braccia mia sorella "amore mio adorato, amore mio adorato" e poi schiaccia il muso contro l'acquario asettico concepito

per proteggere i bambini dalla voracità dei padri, e urla:
– Ho tre Louna, tre Louna, Ben! Ne avevo una, adesso ne
ho tre!

(Non sarà al prezzo di una, credimi!)

E il tutto si conclude da Koutoubia, dove Amar ci serve il cuscus offerto dalla casa, come sempre quando arrivo con la notizia di una nascita.

– Ho scoperto una cosa importante, Ben (è Laurent
che filosofeggia con la legittima assistenza di un Mascara a 16 gradi), e cioè che la realtà è sempre più sopportabile del suo fantasma, anche se è peggiore! Non volevo figli, ora ne ho due, be' non è questa la cosa orribile, la cosa orribile è di aver avuto tanta paura di questa meraviglia... – (Sospiri.) – Oh! Ben, come ho potuto fare una cosa simile a Louna? – (Singhiozzi...) – Spaccami la faccia,
Ben, ti supplico, spaccami la faccia, fallo per tua sorella!
(Autofustigazione, camicia strappata...)

– Un goccio di Mascara?

– Sì, non è niente male quest'anno.

– Ben?

La mano di Julia mi avvolge la coscia.

– Clara mi ha detto della storia del processo, non ti
preoccupare, Sainclair ha voluto prenderti per il culo. Se
ci sarà un processo, sarà contro il giornale, e se proprio il
giudice vorrà fare il cattivo ci appioppperà un franco per
danni e interessi.

– Un vecchio franco, pre-gaullista, un micro-franco, –
puntualizza Théo, il cui sguardo accarezza il sedere di
Hadouch.

Una serata tranquilla: Clara che taglia la carne a Jérémy, Thérèse attaccata al video nel quale gettona in-
stancabile il funerale di Oum Kalsoum, il Piccolo che ini-
zia Julius al rituale del tè alla menta, Amar che ci annuncia per la centesima volta la distruzione del suo ristorante con la costruzione della New Belleville.

– Sono triste per te, Amar.

– Perché? Il riposo è una buona cosa, figlio mio.

E di nuovo attacca a raccontare di come approfitterà
della pensione per curare i reumatismi immergendosi
nelle sabbie del sud sahariano. (La testa bianca di Amar,
il Sahara intorno al collo...)

Ed è proprio alla fine (Laurent ubriaco perso, addormentato sopra il piatto, Jérémy e il Piccolo acciambellati nel pelo di Julius che li cova, Théo sparito da un po' con Hadouch, Thérèse metamorfosata in derviscio danzante, la mano di Julia che annuncia l'imminenza dell'assalto finale) che Clara, la mia Clara, comunica la grande notizia: – Ho una sorpresa per te, Benjamin.

36

La sorpresa (non sono del tutto certo che mi piacciono ancora le sorprese) ha assunto la forma di un telegramma. Il telegramma, da una prestigiosa casa editrice
(se non la cito, è perché tra loro si dilaniano), è redatto in
questi termini, di una concisione quasi intimidatoria:

"MOLTO INTERESSATI,
PRESENTARSI CON URGENZA".

Niente male scoprire di essere un genio inconsapevo-
le. Che goduria pensare che pochi mesi di ciance incoe-
renti, destinate a una banda di bambini insonni e a un
cane epilettico, dattilografate da una segretaria tutta
d'un pezzo, spedite da una fattorina irresponsabile, siano
sufficienti a far sbavare un drago dell'editoria.

È quel che mi son detto svegliandomi. È quel che mi
son detto in metropolitana. È quel che continuo a dirmi
ora che faccio anticamera nell'immensità di questo (ufficio? salone? sala conferenze? ippodromo?) nel quale le
pareti bruno-dorate della Storia si sposano all'audace
geometria di un mobilio avveniristico. Alluminio e stucco, dinamismo e tradizione, una casa editrice nutrita di
passato e pronta a divorare il futuro: sarei potuto finire
peggio.

La sollecita cortesia del fighettino che mi ha accolto
mi conferma nella certezza che qui stanno aspettando
solo me. Nessuno più dorme dalla partenza del telegramma. Qualcosa nell'aria mi dice che hanno smesso di respirare.

"E se Malaussène rifiutasse?"

Ventata di panico sul tavolo da conferenze.

"Se avesse ricevuto altre proposte?"

"Quintuplicheremo l'offerta, signori..."

(IMPLOSIONE... neanche brutto il titolo di Clara.)

– Posso offrirle qualcosa?

Il fighettino ha fatto spuntare un minibar dal fondo di una libreria.

– Scotch? Porto?

(Sarebbe l'ora giusta per un porto, no? Sì.)

– Caffè.

Pronto il caffè. Silenzio d'intesa. Gambe accavallate. Lunga occhiata del fighettino. Girotondo argentato del mio cucchiaino.

– Davvero notèvole, signor Malaussène.

(Notevole non ha la "e" aperta.)

– Ma non sono autorizzato a dirle di più.

Leggera risatina.

– È un privilegio che spetta alla nostra direttrice editoriale.

Leggera risatina.

– Una personalità notèvole, vedrà...

(Pure lei?)

– Tra noi, la chiamiamo familiarmente la Regina Zabo.

(Vada per la Regina Zabo, siamo tra noi.)

– Un'acume nel giudizio, e una franchezza nell'esprimersi...

Ombra di esitazione, poi, un mezzo tono più basso:
– Il problema sta appunto in questo.

(Il problema? Quale problema?)

Sorriso, colpetti di tosse, segni esteriori dell'imbarazzo elegante.

Poi, d'un tratto: – Bene, vado ad annunciarla.

Uscita del fighettino. Una mezz'ora fa. Da mezz'ora aspetto la comparsa della Regina Zabo. All'inizio mi son detto che i libri mi avrebbero tenuto compagnia e mi sono umilmente avvicinato alla libreria. Ho teso la mano con rispetto, ho tirato fuori un volume con precauzione: copertina vuota. Nessun libro dentro.

Ho provato altrove: idem.

Non c'è un libro in tutta la stanza. Soltanto l'esibizione di sovracoperte sgargianti.

Non c'è dubbio, Malaussène, sei proprio da un editore.

Mi consolo calcolando quanto può farmi guadagnare la pubblicazione di un best-seller. Se si tiene conto di tutto: diritti per il cinema, la televisione, le letture radiofoniche, la cifra è incalcolabile. Se ci si attiene al minimo, supera comunque ampiamente le mie capacità aritmetiche. In ogni caso, ho fatto bene a sbarazzarmi di quel lurido lavoro di Capro Espiatorio. In trent'anni, non mi avrebbe reso neanche la decima parte.

È in quest'istante di felicità che la Regina Zabo fa il suo ingresso. Proprio lei, la Regina Zabo.

– Ah! Buongiorno signor Malaussène!

È una tipa lunga e scheletrica sulla quale è stata piantata una testa obesa.

(Buongiorno, signora...)

– No, stia comodo, tanto non la tratterrò a lungo.

Una voce stridula che non si dilunga in cerimonie.

– Allora?

Ha urlato il suo "allora" e questo mi ha fatto sobbalzare. (Allora cosa, Maestà?) Devo opporle una faccia piuttosto stupita, perché lei scoppia in una gran risata paffuta.

Incredibile, si direbbe veramente che la testa le sia caduta sul corpo per caso.

– Ah! no, signor Malaussène, niente malintesi tra noi, non è per il suo libro che l'ho fatta venire, noi non pubblichiamo insulsaggini di quel genere!

Il fighettino, nel ruolo del Paggio, tossicchia. La Regina Zabo si volta tutta da un lato: – Cos'era, insulsaggini, no? Era questa la sua opinione, Gauthier!

Poi, di nuovo rivolta a me: – Stia a sentire signor Malaussène: quello non è un libro, non c'è il minimo progetto estetico lì dentro, va in mille direzioni e non porta da nessuna parte. E lei non farà mai niente di meglio. Rinunci subito, vecchio mio, non è quella la sua vocazione.

Il Paggio Gauthier vorrebbe poter essere invisibile. Quanto a me, la Regina comincia a farmi girare le palle.

– La sua vera vocazione è questa!

Mi butta sulle ginocchia il numero di *Actuel* che ha tirato fuori da chissà dove. Non aveva le mani vuote quando è arrivata?

– Lei non immagina a che punto si può avere bisogno di tipi come lei in una casa editrice. Capro Espiatorio! È proprio quello che mi ci vuole. Vede signor Malaussène, ne ho fin sopra i capelli di subire piazzate al posto mio!

Segue una lunga risata acutissima che pare una fuga di qualcosa, incontrollabile. E che si interrompe bruscamente.

– Tra gli apprendisti scrittori che si considerano mal letti, gli scrittori esordienti che si ritengono mal pubblicati, i veterani che si dichiarano mal pagati, tutti mi fanno piazzate, signor Malaussène! Non ce n'è uno, si rende conto, in vent'anni di mestiere non ho incontrato un solo scrittore che fosse contento della sua sorte!

Mi fa l'effetto di una ragazzina superdotata di cinquanta primavere che non riesce ancora a capacitarsi della sua intelligenza. Ma c'è dell'altro, nella regina Zabo. Qualcosa di irrimediabilmente triste in quell'allegria forzata. Sì, qualcosa che giace tristemente sotto la massa elettrificata di quel viso paffuto.

– Guardi, signor Malaussène, giusto la settimana scorsa, un postulante si presenta qui per sapere cosa ne pensiamo del suo manoscritto, spedito due mesi prima. Erano le nove del mattino. Gauthier, qui presente (è presente Gauthier?), lo riceve nel suo ufficio, e, ancora addormentato, viene a cercare tra le carte mie una scheda di lettura che si trovava tra le carte sue. Durante la sua assenza, l'altro si è messo naturalmente a frugare tra i fogli. E trova la scheda di lettura, su cui avevo scritto: "Stronzata". Sì, tra noi siamo concisi, il lavoro di Gauthier consiste precisamente nell'addobbare questa concisione. Per farla breve, la scheda non era destinata a essere letta dall'autore del manoscritto in questione. Ebbene, secondo lei quale fu la sua reazione, signor Malaussène?

(Eh be', Santo Dio...)

– È andato a buttarsi nella Senna, proprio lì davanti.

Con un gesto fulmineo indica la doppia finestra che dà sul fiume.

– Aveva addosso la scheda di lettura firmata col mio nome quando l'hanno ripescato. Sa, è piuttosto seccante.

Ci siamo, ho capito cosa non quadra in lei. Era una creatura sensibile un tempo, la Regina Zabo, una ragazzina che soffriva dei mali dell'intera umanità. Un'adolescente tormentata o qualcosa del genere. Enigmatica portatrice del *dolore di esistere*. Quando il tormento è diventato un calvario, e dopo innumerevoli esitazioni, è andata a bussare alla porta dello strizzacervelli alla moda. Quello, l'Ascoltatore, ha subito capito che era la troppa umanità a disturbare quella bambina vispa, e pazientemente, lettino dopo lettino, gliel'ha estirpata fino all'ultima radice, e al suo posto ha piantato il sociale. Ecco cos'è, la Regina Zabo. Un'analisi riuscita: quando mangia, solo la testa ne trae profitto. Il resto non segue. Ne ho incontrati altri, si somigliano tutti.

— Allora è per risparmiarmi questo genere di contrattempi che la assumo, signor Malaussène.

(Io? non sono assunto io!) Silenzio. Colpo d'occhio radioscopico di Sua Maestà. Quindi: — Suppongo che il Grande Magazzino l'abbia licenziata dopo un articolo del genere, no?

Sguardo ultravioletto. Ombra di sorriso: — Forse lei l'ha addirittura pubblicato a questo fine?

Poi, categorica: — È una sciocchezza, signor Malaussène, lei è fatto per questo mestiere, e solo per questo. Capro Espiatorio: è una *condizione*, in lei.

Quindi, riaccompagnandomi a passo di carica: — Non si faccia illusioni, riceverà una valanga di proposte, è sicuro. Ma qualunque cosa le offrano, tenga presente che noi le daremo il doppio.

37

E infine arriva il fatale giovedì. Ho cercato di rallen-
tare il tempo concentrandomi su ogni secondo, ma niente da fare, è colato via lo stesso attraverso le faglie della
mia anima santa. (*Ma incrinata è questa mia anima*... è
qui che Clara è caduta all'orale della maturità...)
   Non c'è folla al reparto giocattoli, è il minimo che si
possa dire. Deve essere girata una parola d'ordine, un se-
gnale che tiene misteriosamente lontani i clienti. Io ci sono, e mi accorgo che dalla gita sotterranea dell'altra notte con Gimini la Cavalletta non ho smesso nemmeno per
un istante di pensare a questo momento. L'ossessione
della scadenza era nascosta dietro ogni mio minimo pensiero. Ho paura. Dio mio che paura! Sono le diciassette e
trenta. Gimini non è ancora arrivato. Rabdomant nemmeno. Né i suoi uomini.
   La mia piccola commessa scoiattolo è dimagrita. Le
guance hanno perso la loro provvista per l'inverno: il
Grande Magazzino... la stanchezza del Grande Magazzino... La sua amica donnola è occupata a rimettere in ordine i banconi messi sottosopra dai ragazzini durante
l'ondata delle quattro. Gimini non c'è.
   Io invece ci sono.
   E la vittima? C'è, la vittima? "Gliela indicherò quando sarà il momento, vedrà, rimarrà sorpreso..." Perché
sorpreso? In fondo, è a questo che non ho smesso di pensare. (Perché sorpreso? La conosco, la vittima? Un personaggio pubblico? Qualcuno della televisione, del cinema?) A questo e al resto ho pensato, a casaccio. Alla nostra conversazione in metropolitana. "Perché li uccide

nel Grande Magazzino? Li attira lì? Come?" Il mio vecchietto ha fatto un sorriso gentile: "Legge romanzi ogni tanto?" Ho risposto di sì, e più che ogni tanto. "Allora sa che non bisogna dilapidare subito tutte le sorprese della finzione." Ho pensato che "dilapidare" era proprio un verbo della sua epoca. Ma ho anche pensato: finzione? "Finzione?" "Esatto, si immagini da qualche parte in un romanzo, questo la aiuterà a lottare contro la paura." Ha aggiunto: "Forse persino a goderne." È a questo punto che ho cominciato a non trovarlo più tanto chiaro. E ad avere fifa. Una strizza larvata che non mi ha più mollato un attimo. Con effetti secondari liquefattivi. *"Vezarde"*, direbbe Rabelais. (Cagarella, insomma.) Mi domandavo da cosa fosse causata. Era questo: la paura... E Thérèse? come aveva fatto Gimini a individuare Thérèse, a riconoscerla? "Tra i suoi fratelli e sorelle è quella che le somiglia di più." (Ah, davvero, perché conosce anche gli altri allora?) "Sì, sì, il Piccolo e i suoi Orchi Natale, Jérémy e il suo talento per le scienze sperimentali, l'occhio di Clara... Niente di misterioso in tutto ciò, giovanotto, il suo amico Théo le vuole molto bene." Certo, Théo, è vero. Théo gli ha parlato di noi. "In un certo senso, voi siete la sua famiglia, così come lui è la nostra." La nostra? Ah, sì i vecchietti del Grande Magazzino. È proprio questo ad avermi fatto venire qui oggi, e non l'avvertimento di Rabdomant al telefono, questo, il fatto che sento incombere sulla mia famiglia una strana minaccia, se dovessi defilarmi. Eppure, continuavo a volergli bene, al mio nonno mitico, il mio "divoratore di orchi", per quanto fuso fosse. Il vagone della metropolitana ci sballottava come non mai e per restare in equilibrio sulle chiappe, lui appoggiava le piccole mani di piatto ai due lati. Sembravano le rotelle laterali di una bici da bambino.

Sì, l'avrei volentieri portato con me, il vecchietto, me lo sarei piazzato in casa, a guisa di antenato, se non fosse stato per quella storia di bombe e quel fottuto appuntamento. Perché in fondo lui mi stava invitando a un omicidio, seduto lì sul suo culetto...

– Lei testimonierà, giovanotto, lei è l'unico a esserne degno!

C'è. È arrivato. Ha infilato il camice grigio dei vecchi di Théo. Ha dipinto sui suoi tratti la senilità dei loro volti. È il vecchietto sputacchioso dell'inizio. Il vecchino dell'AMX 30. Impossibile sapere se mi ha visto o no. È all'altra estremità del reparto. Stuzzica il King Kong robotizzato che, con quella donna svenuta in braccio, aveva dato l'ultima batosta al mio morale dopo la truffa al sommozzatore. Estraggo il periscopio e cerco una traccia degli sbirri nel Grande Magazzino. Niente. Disseminata qua e là, la clientela bottina ignara di quanto succede. E la vittima? Nessuna vittima. O almeno nessuna faccia che io conosca. Rabdomant, diamine, Napoleone dei miei stivali! Non farmi lo scherzo di Grouchy! Datti una mossa! Sto morendo di fifa. Non voglio assistere a un omicidio. Non voglio che si assassinino gli assassini! Non l'ho mai voluto, sono contrario! Vieni, Rabdomant, porco cane! Fai il tuo mestiere di sbirro! Beccati Zorro e la sua preda! Dai una decorazione al primo e sbatti il secondo nella spazzatura, ma tienimi fuori da questa storia! Sono un onesto fratello di famiglia, io! Non sono il braccio della giustizia, né il suo occhio! RABDOMANT! DOVE SEI?

(Se mi avessero detto che un giorno avrei riposto tanta speranza nell'arrivo degli sbirri!...)

Gimini mi ha visto.

Mi sorride.

Dietro tutta la sua pantomima da finto rimbambito mi fa cenno di aspettare, di non essere impaziente. Intanto lui continua a giocare come un ragazzino con lo scimmione nero che ha in braccio il corpo bianchissimo di Clara svenuta. Posa King Kong per terra e lo manda verso di me. Lo scimmione cattivo si mette in moto. Va bene, giochiamo. È il momento buono! Pazientiamo...

(Taglio la corda. Non se ne parla che io rimanga qui! Me la squaglio! Se entro cinque secondi non vedo profilarsi l'Imperatore e la sua Guardia, me la filo!)

Uno...

Due...

Tre...

D'un tratto, l'illuminazione. SO CHI È LA VITTIMA! È quello stronzo di Risson! Il libraio dei miei sogni! Tutto concorda: l'età, il marciume mentale, la presenza nel Grande Magazzino quarant'anni fa. Il fornitore! Era lui il fornitore di bambini. Era lui il tentatore, che raccontava un sacco di palle alle famiglie minacciate, che fingeva di far passare il marmocchio oltreguerra, quando invece lo mandava a riempire il grande barile degli orchi! Conosco solo lui che possa avere svolto questo ruolo! Risson. Arriverà da un momento all'altro, misteriosamente attratto dall'odore della propria morte. E salterà in aria sotto i miei occhi! Se anche taglio la corda, succederà comunque. Convinzione assoluta. Mi bastava conoscere l'ora e il luogo per essere il santo garante di questo omicidio! L'ultima volta, Zorro si è accontentato della presenza di Thérèse. Non se ne parla che io me ne vada. Non sono un assassino, io. Mi piacerebbe, semplifica la vita, ma non è nella mia santa natura. Restare. Giocare fino a quando sarà necessario con il gorilla dalle grandi falcate. Aspettare. Tenere duro. E appena Risson arriva, saltargli addosso e spingerlo fuori dal campo minato. Che poi la giustizia se la sbrighi con lui, ma senza di me. Io non sono il Crimine, ma neanche il Giudice!

Ha un ancheggiamento simpatico da pinguino, il gorilla incandescente. La falsa innocenza ne accentua l'aspetto sinistro. L'occhio rosso. Il fuoco in bocca. Clara in braccio...

Piantala di farneticare, Malaussène, non è il momento. Quando arriva ai tuoi piedi glielo rimandi indietro. E questo gioco del cazzo deve durare. *Durare!* Tutto sta in questo. Finché non succede qualcosa, finché Rabdomant non arriva o la figura lunga ed elegante di Risson non emerge dall'orizzonte della scala mobile. Ha il pelo davvero nero, lo scimmione. E il corpo della ragazza è davvero bianco. Nero e bianco. Bagliore di carne bianca su uno sfondo di notte morta! Le fiamme della bocca e lo splendore sinistro degli occhi...

E all'improvviso vedo gli occhi di quell'altro, laggiù. Gimini, che mi guarda. Che mi sorride. Il mio nonno mitico...

E capisco.

Ce ne ho messo di tempo!

Il tempo di vivere.

Niente di meno.

È lo stesso sguardo di Léonard! Sono gli stessi occhi della Bestia.

Ed è la mia morte che mi manda.

Lo stupore e la paura sono così violenti che la spada di fuoco, ancora una volta, mi attraversa la testa. Una sfilza di ostriche insanguinate mi viene estirpata dal cranio.

Di nuovo sordo. E, naturalmente, Rabdomant mi appare. A dieci metri da lì. Accanto a un manichino-prova vestito come lui, immobile come lui. Rabdomant. Caregga vicino ai giubbotti di pelle. E alcuni altri. Improvvisa evidenza poliziesca.

Il gorilla è ancora avanzato di un metro buono.

Perché proprio io?

La gioia, nei suoi occhi, laggiù. Il nano malefico!

Ha capito che ho capito!

D'un tratto, capisco.

È lui, il sesto, l'ultimo, il fornitore! Per una ragione che ignoro ha fatto fuori tutti gli altri. E adesso farà saltare in aria anche me.

Perché?

Sua Maestà Kong si è ancora avvicinato. Caregga lancia uno sguardo interrogativo a Rabdomant, la mano destra infilata nel giubbotto. Rabdomant fa un rapido no con la testa.

No? Come sarebbe, no? Ma sì, Santo Dio! Sì, sfodera, Caregga! C'è dell'azzurro nelle scintille del gorilla. Dell'azzurro e un giallo che fa risaltare la sfumatura sangue del rosso.

Sguardo sconsolato a Rabdomant.

Preghiera sorda e muta a Caregga.

Slancio paralizzato.

Nessuna risposta.

E quell'indicibile gioia sul viso del vecchio. Gioia causata dallo spettacolo del mio terrore. L'orgasmo! La più grande goduta della sua vita! Avesse anche vissuto solo nell'attesa di questo istante, valeva la pena resistere per cento anni!

Rabdomant non interverrà.

Il sordo veggente lo afferma in me al sordo iper-vedente.

Mi lasceranno saltare in aria!

Saltare per saltare, salto!

Il tuffo della mia vita. Dritto sullo scimmione ladro di bambini! Ho visto, nitidamente, il mio corpo nello spazio, parallelo al suolo, come se fossi un altro. Mi sono tuffato sullo scimmione, ma senza distogliere lo sguardo da lui, dall'orco ghignante. E quando mi sono abbattuto sulla preda...

Quando ho premuto l'interruttore...

È stato lui a saltare.

Laggiù.

Dall'altro lato del bancone.

C'è stato il gonfiarsi del camice grigio.

Il suo volto, per un attimo, all'apice della felicità.

Poi il camice si è svuotato di una purea sanguinolenta.

Che era stata il suo corpo.

Implosione.

E quando mi sono rialzato, ho capito che aveva fatto di me un assassino.

Perché proprio io?

Perché?

I poliziotti mi hanno portato via.

38

Questa volta mi ci vogliono ore per recuperare le orecchie. Ore passate da solo in una stanza di ospedale che deve pur essere sonora. Solo, fatta salva la trentina di studenti di medicina che ascoltano con devozione le parole del maestro bianco chino sul caso della mia sordità a eclissi. Lui ha il sorriso del Sapere. Loro hanno la serietà di chi impara. Un bel giorno si scanneranno per fregargli il posto. E lui si aggrapperà al caduceo. Tutto questo avrà luogo lontano da me. Perché con sei omicidi sul gobbo sgranerò in gattabuia le unità di misura dell'ergastolo.

Perché?

Perché proprio io?

Perché aver messo di mezzo proprio me?

Gimini non è più qui per rispondermi.

Come si chiamava, in realtà, il mio ideale di nonno? Non ne conosco nemmeno il nome.

Se almeno potessi non sentire più nulla fino alla fine. Ma no, il maestro bianco non l'ha mica rubata, la laurea. Allora, naturalmente, mi stura.

— Non si trattava propriamente di una lesione, signori.

Mormorii di ammirazione da parte dei piragnas del sapere.

— Non c'è alcuna possibilità che i sintomi riappaiano. E, rivolto a me, con la sua voce profumata: — È guarito, mio caro. Non mi resta che renderle la libertà.

La libertà arriva nella persona dell'ispettore Caregga. Che mi porta senza dire una parola al Quai des Orfèvres. (Valeva proprio la pena restituirmi l'udito per affidarmi poi a un muto!)

Sbattere di portiere. Scale. Ascensore. Sbattere di tacchi nei corridoi.

Sbattere di porte. E toc, toc, toc, a quella del commissario Rabdomant.

Stava telefonando. Riattacca. E scuote a lungo il capo guardandomi.

Poi chiede: – Caffè?

(Perché no?)

– Elisabeth, per cortesia... Caffè.

– La ringrazio. Può andare.

(Esatto. Ma ci lasci la caffettiera, sì, ecco.)

L'unica porta che non sbatte in tutto questo casino è quella del commissario Rabdomant, quando si richiude dietro Elisabeth.

– Allora, ragazzo mio, ha capito finalmente?

(Direi di no.)

– È libero. Ho appena chiamato la sua famiglia per tranquillizzarla.

Seguono le spiegazioni. Le spiegazioni finali.

Ecco: non sono un assassino. Ma l'altro, il nano sulfureo che ho fatto saltare in aria lo era. E che assassino! Non solo è stato lui a provocare la propria morte costringendomi a tuffarmi sul gorilla, ma è stato sempre lui a far fuori tutta la squadra di orchi.

– Come faceva ad attirarli nel Grande Magazzino?

La domanda mi viene spontanea e, sì, in effetti è proprio quello che per tanto tempo ha travagliato Rabdomant.

– Non li attirava. Ci venivano di loro spontanea volontà.

– Dice davvero?

– Suicidi, signor Malaussène.

Sorride, improvvisamente, e si allunga nella sua poltrona.

– Questa storia mi ha ringiovanito di trent'anni. Un'altra tazza di caffè?

Ce n'erano un sacco di queste sette da quattro soldi, durante il carnaio della seconda guerra mondiale, e uno dei primi jobs del commissario Rabdomant, una volta firmati gli armistizi, fu proprio quello di ripulire tutti quei paioli del diavolo.

– Un lavoro discretamente monotono, ragazzo mio, si somigliavano tutte come gocce d'acqua, le fottute sette degli anni quaranta.

Sì, tutte sullo stesso modello. Un curioso fenomeno di rifiuto dei codici morali e delle ideologie, a vantaggio di una mistica dell'istante. *Tutto è lecito perché tutto è possibile.* Ecco grosso modo ciò che avevano in testa. E gli eccessi dell'epoca li incoraggiavano. C'era emulazione nell'aria, per così dire. A questo si aggiungeva una critica radicale del materialismo che rende l'uomo bisognoso e previdente. Il commercio delle cose implica infatti una meschina fiducia in un domani fruttuoso. Morte al domani! Viva l'istante! E gloria a Mammone il Gaudente, Principe dell'Istante Eterno! Ecco. A grandi linee. E qua e là cominciavano ad associarsi, i mattacchioni del tempo, in sette improvvisate, gaudenti e omicide, tra cui la *Cappella dei 111*, una simpatica banda di sei orchi, adepti della *Bestia 666*.

– Devo confessarle che all'inizio brancolavo nel buio.

Ma ha capito in fretta, Rabdomant.

– In primo luogo l'espressione di godimento sulla faccia di tutti i morti.

Sì, il primo con la patta aperta, i due vecchi che si abbracciavano, il natalista che godeva come un forsennato appena prima di saltare in aria, e il tedesco nudo nelle toilettes scandinave.

– Non era del tutto *normale*.

(No, non del tutto.)

Sesso e morte, gli ricordava un motivetto, al commissario, death and sex, gli puzzava di clericali al rovescio, un'atmosfera che aveva imparato a riconoscere nelle indagini del dopoguerra.

– Ma perché avevano scelto il Grande Magazzino per le loro... cerimonie?

– Gliel'ho detto. Ai loro occhi il Grande Magazzino rappresentava il tempio della fede materialista. Si trattava di profanarlo sacrificandovi vittime innocenti attirate lì dallo scintillio degli oggetti. A Helmut Künz, il tedesco, piaceva travestirsi da Babbo Natale, come testimonia la sua collezione di foto. Distribuiva giocattoli durante la celebrazione...

Silenzio. Glaciazione dell'anima. (Caffè, per favore, un bel cafferino caldo caldo!)

— Perché si sono suicidati?

Bella domanda: l'occhio del commissario si illumina.

— Per quanto riguarda i suicidi, sono le deduzioni astrali di sua sorella Thérèse ad avermi convinto. Gli astri erano loquaci con quei signori. Essi credevano, vero come l'oro, che il giorno della propria morte vi fosse inscritto. Uccidendosi da sé in quel dato giorno, hanno rispettato il verdetto delle stelle conservando però la libertà individuale.

— Hanno assunto il ruolo del destino, in un certo senso...

— Sì, e facendosi saltare in aria davanti a tutti, sui luoghi stessi in cui avevano vissuto più intensamente, si sono concessi l'ultima grande gioia. Una sorta di apoteosi.

— Da qui l'espressione estatica sui loro volti morti.

Sì del capo. Silenzio. (Tipi alla buona, in fondo...)

— E io, in tutto questo cosa c'entro?

(Già, è vero, a proposito...)

— Lei?

Lieve aumento d'intensità della luce.

— Mio povero ragazzo, lei era il più bel regalo che la Provvidenza potesse fare loro: un santo. Col suo modo di caricarsi sulle spalle tutti i peccati del Commercio, di piangere le lacrime della clientela, di suscitare l'odio di tutte le cattive coscienze del Grande Magazzino, insomma, con il suo straordinario dono di attirarsi sul petto le frecce vaganti, lei si è imposto ai nostri orchi come un santo! Da quel momento hanno voluto la sua pelle, di più: la sua aureola! Compromettere un vero santo, farne un assassino, designarlo come colpevole alla pubblica vendetta, era una bella tentazione per quei vecchi diavoletti, no? Risultato, quasi la facevano linciare dai colleghi. Per fortuna c'era Caregga, se lo ricordi...

— Ma io non sono un santo. Dio buono!

— Sarà il Vaticano a decidere, la Congregazione dei Riti, per essere precisi, tra due o trecento anni, se cercheranno di canonizzarla... Comunque sia, l'ultimo dei nostri orchi si è spinto più in là degli altri. Il suo amico Théo gli deve aver parlato molto di lei, in assoluta buona fede, con ammirazione, e il suo *côté* fratello maggiore, protettore di orfani, non ha fatto che accrescerne l'odio. L'ha vista come un San Nicola che salva gli innocenti dal martirio. Ma il barile del martirio era suo. Lo riempiva lui. In un certo senso, lei gli rubava la cena. Ecco un uomo che l'ha odiata come non lo sarà mai più. E facendosi uccidere da lei sotto gli occhi della polizia, ha organizzato un omicidio in flagrante che avrebbe dovuto esserle fatale. Colmo della raffinatezza, prima si è anche preso la briga di sedurla. Poiché l'ha proprio sedotta, l'altra notte, in metropolitana, vero?

(Sì.)

– Immagini la sua felicità quando ha capito che lei cadeva nella trappola. È morto convinto che le sarebbero stati affibbiati i sei omicidi.

(...)

– Come si chiamava?

Sguardo muto. La luce si attenua.

– Su questo c'è il segreto, ragazzo mio. Era una persona rispettabile, come si suol dire.

(Ecco qua, avevi ragione, mio vecchio Théo.)

Di conseguenza, le conclusioni dell'inchiesta rimarranno riservate. Le bombe non esploderanno più nel Grande Magazzino. Ma Sainclair sostituirà gli sbirri con dei vigilantes che continueranno a perquisire i clienti per far salire il volume degli affari. I vigilantes serviranno da monumento ai Morti (il primo dovere di un monumento ai morti è di essere vivo).

Ancora due cosette. Quando chiedo a Rabdomant perché non è intervenuto, perché ha lasciato che mi tuffassi sul gorilla, lui ha una risposta degna di De Gaulle.

– Era necessario che accadesse.

E più tardi, accompagnandomi alla porta: – Ha fatto male a farsi licenziare dal Grande Magazzino, signor Malaussène: il Capro Espiatorio lei lo faceva proprio bene.

Uscendo dalla Polizia ho sperato per un attimo che una 4 cavalli giallo limone fosse ad aspettarmi, parcheggiata in sosta vietata. Avevo un gran bisogno di rannicchiarmi tra le colline della sua proprietaria e di assopirmi alla loro ombra. Ma niente. Non c'era che il buco nero della metropolitana. Ok. Sarà una notte senza Julia. Sarà una notte Julius.

39.

A casa mi attendono alcune sorprese. Anzitutto, un enorme pacco di lettere con offerte di lavoro. Che ho cestinato subito dopo averle lette. Tutte le ditte del paese avevano l'intenzione di allevare un Capro Espiatorio.

Niente da fare, chiuso, "mai più", come diceva un papa a proposito di una guerra.

L'ultima busta arrivava dal Ministero della pubblica istruzione. L'ho aperta giusto per vedere quanto mi offriva il Ministro per farmi calpestare al suo posto.

Non mi offriva niente. Mi chiedeva solo di risarcire la Scuola Media Statale di Jérémy. In allegato, il conto.

Ero intento a contare gli zeri quando il citofono ha gracchiato.

– Ben? Scendi subito, c'è una sorpresa per te.

Naturalmente mi sono precipitato di sotto.

La sorpresa era grossa (addirittura il doppio di se stessa!)

Mamma! Era la mamma.

Era graziosa come una mamma. E ancora giovane come una mamma. Ed era incinta fino ai capelli, come una giovane e graziosa mamma.

Ho detto: – Mamma! Mamma!

Lei ha detto: – Benjamin, piccolo mio!

Ha tentato di stringermi tra le braccia, ma l'altro, all'interno, già si opponeva.

Ho detto: – E Robert?

Lei ha risposto: – Basta Robert!

Ho indicato il piccolo sferico.

Lei ha risposto: – È l'ultimo, Ben, te lo giuro.

Ho alzato la cornetta del telefono e ho chiamato la Regina Zabo.

Stampa Grafica Sipiel
Milano, febbraio 1995